£1

Sorprendentes Casos de Manifestaciones
DEL MAS ALLA

ROBIN FLETCHER

Sorprendentes Casos de Manifestaciones
DEL MAS ALLA

Narrados por sus Protagonistas

 EDITORIAL HUMANITAS

Título: "Sorprendentes Casos de Manifestaciones del Más Allá"
Autor: Robin Fletcher
Primera edición: 1992.
©para la lengua española y todos los países
 de habla hispana: Editorial Humanitas, S.L.
Traducción al castellano: Grupo Editorial Humanitas
©de la traducción: Editorial Humanitas, S.L.
ISBN: 84-7910-109-1
Depósito legal: B-9459-1992

Impreso por Editorial Humanitas, S.L.
Centro Industrial Santiga
c/ Puig dels Tudons, s/n
Talleres 8, Nave 17
Telf. (93) 718 51 18
08210 Barberà del Vallès
Barcelona
ESPAÑA

Contenido

Contents

Introducción

¿Donde está el Más Allá?... Está generalmente admitido por todos los psicólogos que el Más Allá no es un lugar; la vida mental no está condicionada por el espacio.

El Más Allá es una condición mental que permite franquear el límite actualmente conocido de la relación de los seres.

¿El Más Allá?... En él estamos desde ahora. Hasta tal punto estamos, que sobre el plano físico no podemos comunicar con nuestros semejantes sin procurarnos un medio material de comunicación.

En el Más Allá no vivimos de sensaciones físicas, sino de pensamientos y sentimientos. Se deduce que en la incorporación actual no estamos en las condiciones necesarias para poder comunicar. Entre dos personas, la relación no se puede establecer sino gracias a un subterfugio, que ha sido el de crear imágenes verbales, y estas imágenes hubieran seguido siendo representaciones abstractas si no se hubieran revestido de un cuerpo material para descender sobre el plano físico.

Estas imágenes han tomado un cuerpo en la escritura que se dirige a nuestras facultades visuales y en la palabra que se dirige a las vías auditivas. Así, los sonidos y los signos escritos son cuerpos materiales que afectan órganos materiales para subir desde allí al plano intelectual; y estos signos convencionales no dan a una persona la certidumbre de comunicar con otra, puesto que con los labios y con la pluma se puede mentir sin que se sospeche. Así, entre vosotros y el *yo* no existe ninguna relación directa posible.

El *yo* vive en el Más Allá, existe independientemente del cuerpo físico, lo mismo el pensamiento existe por sí mismo, independientemente de los sonidos por los cuales nos expresammos y de los caracteres materiales que trazamos sobre el papel.

1 El Más Allá Se Manifiesta Espontáneamente

Vamos ahora a formular la gran pregunta. ¿Existe en el Más Allá algo más que nosotros mismos? ¿Existen manifestaciones del Más Allá que vengan de entidades extrañas?.

Estas manifestaciones, si existen, están fuera de nosotros y pueden producirse espontáneamente y no de otro modo.

William Stead, el conocido periodista y espiritista inglés, cuya heroica muerte a bordo de el *Titanic* no se olvidará nunca, definía del siguiente modo, nuestra posición con relación al Más Allá.

Se servía de una comparación que le surgió la aplicación, entonces reciente, de la telegrafía sin hilos. Comparaba la tumba al Océano antes de que Cristóbal Colón descubriera América; luego, por una ficción ingeniosa, suponía que el explorador y los que le habían seguido se encontraron en la imposibilidad de navegar de

Este a Oeste y, por lo tanto, nadie hubiera podido hacer jamás el viaje de vuelta.

Europa habría ignorado la existencia del Nuevo Continente. No obstante, la civilización americana habría progresado al mismo tiempo que la nuestra; pero los navegantes no hubieran renunciado a la exploración y uno de ellos, el día menos pensado, hubiera llegado a las costas de una república floreciente. ¿Que habría hecho?

Hubiera empleado todos los recursos de la Ciencia para informar a su país; hubiera ensayado la telegrafía sin hilos, todavía imperfecta; se hubieran recibido, en estas condiciones, mensajes truncados, incomprensibles. Después de numerosas decepciones se habría descifrado un mensaje más claro: «Del Capitán Smith (mar del Sur) al Lloyd de Londres: Todos con vida sanos y salvos. Descubierto nuevo mundo poblado descendientes de Colón y de sus compañeros».

Se habría atribuído este mensaje a cualquier agencia radiotelegráfica de Europa misma; habría sido necesario que un corto número de trabajadores obstinados se empeñaran en proseguir los experimentos antes que el mundo se conmoviera y admitiera la posibilidad de un fenómeno todavía increíble; pero con el tiempo se habrían establecido puestos receptores mejor acondicionados; se hubieran encontrado de este modo en posesión de la solución de las mismas dificultades que nosotros encontramos cuando queremos establecer la certidumbre de una vida después de la muerte.

Nuestra posición queda bien definida con esta comparación. El Más Allá se manifiesta espontáneamente; si a los esfuerzos que hace respondemos con la indiferencia, el escepticismo o la burla, todo esfuerzo cesará.

La dificultad consiste en la instalación preliminar de un puesto receptor.

Debemos aceptar la hipótesis de que podemos tener corresponsales en el Más Allá; debemos estar atentos a los menores indicios de esta telegrafía sin hilos, que tal vez se nos envía desde el otro lado de la tumba. Y para estar en condiciones de recibir estos mensajes hipotéticos sería necesario, por lo menos, ocuparse de organizar lo más perfectamente posible los puestos receptores.

Estos son los sensitivos, que, abandonados a sí mismos, no tienen más que inútiles relámpagos de lucidez; pero aunque obtengan preciosas comunicaciones, como son ellos mismos los narradores, no ofrecen garantías suficientes.

El verdadero puesto receptor sería el que se organizará con una persona clarividente, sensitiva y susceptible, en estado de sonambulismo, de ser puesta en relación con el Más Allá. Sería necesario, además, que esta persona fuera capaz de abnegación, que estuviera rodeada de experimentadores muy al corriente de los fenómenos e instruídos igualmente en la historia de las ciencias psíquicas, que no fueran escépticos y que trabajaran en la hipótesis citada. Se necesitaría tener un médium permanente en un lugar bien instalado, recursos pecuniarios y una organización material que asegurara la vida de una Sociedad de estudios, lo que las leyes hacían imposible en algunos países.

Felizmente, en Inglaterra las condiciones fueron más fáciles. A ella correspondió el honor y la gloria de haber instituido el puesto receptor, que ha podido recibir los primeros mensajes auténticos llegados del Más Allá.

2 Las Experiencias Mediúmnicas de la Señora Piper

Es una gran fortuna para nuestros estudios que las Sociedades de Investigaciónes Psíquicas no solo hayan reunido hombres que como Myers, Hodgson, y Oliver Lodge, han ofrecido toda garantía científica, sino que encontró en la persona de la señora Piper un médium excepcional cuya abnegación es digna de todo elogio.

El caso de la señora Piper, estudiado con perseverancia por esos hombres que aceptaban provisionalmente y a título de hipótesis las personalidades de los que se presentaban como espíritus de parientes fallecidos, ha dado tales resultados que los consultantes han tenido la sensación de la presencia real de sus parientes y amigos; y que todos los sabios que siguieron de cerca los experimentos, acabaron por aceptar esta interpretación.

Se ha hecho todo lo posible por explicar estos hechos por la clarividencia, por la lectura de pensamientos y por la subconsciencia; pero los hechos han hablado contra tal interpretación. Si la subconsciencia de la señorita Smith ha creado siete u ocho personalidades de caracteres distintos, teniendo cada una su idioma propio, su escritura y su ortografía característica, la señora Piper hubiera producido muchos cientos de personalidades tan inteligentes, es decir muchos cientos de memorias sin que entre ellas se hiciera ninguna confusión.

No nos vamos a extender, por falta de espacio, sobre las obscuridades de los principios. Eran de prever y no disminuyen en nada el valor de los resultados obtenidos posteriormente.

Los estados de trance de la señora Piper pueden dividirse en tres fases:

1.— Cuando la principal entidad directora era el doctor Phimuit, y se servía casi exclusivamente de los órganos vocales.

2.— Cuando las comunicaciones se obtuvieron en estado de trance, principalmente por la escritura automática, y bajo la vigilancia especial de la entidad conocida bajo el nombre de Georges Palham.

3.— Cuando la dirección perteneció a Imperator, doctor Rector y algunos otros, teniendo lugar las comunicaciones principalmente por la escritura, y algunas veces también por la palabra.

Después de las oscuridades y confusiones de los principios, la intervención de muchos espíritus viene a purificar el fenómeno; parece que ha sido necesario proteger contra los importunos una cabina telefónica asediada de influencias extrañas; muchas entidades misteriosas se conciertan para separar estas influencias molestas. Estando mejor establecidas las condiciones, los misteriosos corresponsales podían expresarse con más seguridad influenciando los centros motores del médium; los difuntos aseguran que piensan con su pensamiento dentro de lo que ellos llaman una luz. Esto concuerda con otros muchos experimentos. No es raro que personas completamente ignorantes del espiritismo, haciendo un ensayo puramente recreativo, vean surgir una entidad, quien a la pregunta de: «¿Como estás aquí?» responde: «No lo se; he visto una luz, me han empujado, y aquí estoy».

Así, pues, los espíritus piensan las palabras, y la escritura, y si ninguna influencia perturbadora se interpone para desnaturalizar el efecto, el aparato fisiológico de un médium sería apto para ponerse en marcha automáticamente a esta simple excitación. En el caso en que las dos manos escriban a la vez, es que existe acuerdo entre dos espíritus para que cada uno piense sirviéndose de un órgano diferente.

Algunas veces hay lucha, detención e incoherencia cuando un médium se resiste pero esta lucha parece verdaderamente real, la encontramos al principio de todas las mediumnidades; solamente que, en el caso de la señora Piper, el orden no se reestableció hasta después de la intervención de Georges Pelham.

Georges Pelham (pseudónimo) es una de las personalidades más interesantes de todas las que se manifestaron por mediación de la señora Piper. Era un joven bien educado, que había estudiado el caso Piper en compañía del doctor Hodgson, secretario de la rama americana de una Sociedad de Investigaciones Psíquicas. Murió víctima de un accidente, y algunas semanas después de su muerte las comunicaciones obtenidas por mediación de la señora Piper, parecían venir de él. Más adelante, el doctor Phinuit, entidad enigmática, que hasta entonces había mandado como dueño, se vió arrojado de su dominio, o por lo menos obligado a compartirlo con la nueva entidad que estableció su personalidad perfectamente.

La memoria fresca de G. Pelham, salido hacía poco de nuestro mundo, parecía conservar intacto su recuerdo, aún cuando en el curso de los experimentos declaró: «Cada día me alejo más de vosotros».

Hacia siete años que duraban las comunicaciones y cuatro semanas que G. Pelham había muerto de un accidente, cuando su intervención realzó el valor de la manifestación; fue confrontado con treinta de sus antiguos amigos, con su padre y con su madre, reconoció y llamó a cada uno por su nombre y observó siempre la actitud que cuando vivía acostumbraba a guardar con cada uno de ellos. Cuando se presentaba al médium un nuevo concurrente, siempre se servía de un nombre falso. Se necesita una cierta dosis de credulidad para atribuir al cerebro de la señora Piper este poder de adivinación sin límites.

Cada consultante interrogó sobre cosas muy íntimas, así como sobre detalles muy nimios; G. Pelham precisaba los detalles de una casa de campo, indicaba las particularidades del pórtico, del columpio, del gallinero, etc., y todo era conforme con la realidad. El señor Pelham, padre, recibió por boca de la señora Piper todo lo que hubiera podido esperar de su hijo vivo.

También fueron muy importantes las sesiones del profesor de Filosofía James Hyslop, una personalidad muy importante del Estado de Nueva York. El profesor Hyslop fué presentado a la señora Piper en el momento más favorable, es decir, cuando habían salido del período tan oscuro de los comienzos. La presentación tuvo lugar, como tantas otras, bajo el nombre de M. Smith, a fin de no dar a la médium ningún indicio sobre la personalidad del visitante. El profesor tuvo la precaución de cambiar la apariencia de su rostro en el coche antes de llegar a casa de la señora Piper y esperó a que estuviera en estado hipnótico para hablar ante ella. A pesar de estas precauciones el padre del profesor se manifestó, y dió señales de su identidad, pareció al corriente de los accidentes más íntimos de la familia y recordó con su hijo una exposición de las doctrinas religiosas que profesaba cuando vivía.

«Cualquier poder supranormal —añade el profesor Hyslop— que se conceda a las personalidades segundas de la señora Piper, se me hará creer difícilmente que estas personalidades segundas han podido reconstruir tan completamente la personalidad moral de mis padres fallecidos. Admitirlo, me llevaría demasiado lejos en lo inverosímil. Prefiero creer que es a mis padres mismos quienes ha hablado: es mas sencillo».

En la última sesión, el profesor Hyslop salió de su intencionada reserva. Abandonó las medidas de precaución que hasta entonces había tomado, pues quería ver el resultado de su cambio de actitud si procediera con el comunicante como si se tratara de un amigo de carne y hueso.

«El resultado —dice Hyslop— es que he hablado con mi padre desencarnado con la misma facilidad que si hubiera hablado con mi padre vivo por teléfono. Nos comprendimos a medias palabras, como en una conversación ordinaria».

Parece, pues, cierto que en las mejores de estas sesiones se han dejado oír voces de ultratumba que han respondido con éxito a todas las condiciones exigidas. La señora Piper ha obrado bajo una influencia extraña, inteligente y consciente de la vida íntima de los consultantes. La telepatía no explica la conducta de las entidades inteligentes que se manifiestan: así, los deseos y los recuerdos latentes de los consultantes quedaron sin efecto en las comunicaciones; algunas veces los espíritus hicieron confusiones que ellos solos eran capaces de hacer: He aquí un ejemplo:

«James Hyslop evocaba el recuerdo de un tal M. Cooper, que deseaba atraer a la memoria de su padre. Este se puso a hablar ampliamente de M. Cooper, pero no en el sentido que esperaba el consultante. El equívoco se aclaró mas tarde. Todo lo que el padre había relatado era exacto, pero se refería a un José Cooper con quien el falleció había estado en relación íntima, cosa que su hijo ignoraba. El padre recordó en seguida al que su hijo había evocado, Samuel Cooper, e inmediatamente citó el hecho particular que había querido traer a su memoria. La lectura del pensamiento no entra para nada en este incidente.

Todo esto tenía lugar en conversación, pero la señora Piper escribía también mecánicamente, y este medio se hizo el conducto ordinario de Georges Pelham. En esta ocasión pudo comprobarse una vez más la simultaneidad de acción de los agentes motores. Así, mientras que Phinuit hablaba por boca de la médium, Pelham escribía sobre un asunto completamente distinto, accionando la mano derecha, mientras que un tercer interlocutor podía, con la mano izquierda, responder a un tercer consultante».

Hemos citado el testimonio de Hyslop, pero existen otros muchos, como los relatos de Hodgson, que llegan a las conclusiones siguientes:

«En las primeras comunicaciones, Georges Pelham emprendió abiertamente la misión de mostrar a toda la reunión que podía hacer la prueba de la continuidad de su propia existencia y la de otros comunicantes, en ejecución de una promesa que me había hecho dos años antes de su muerte, diciendo que si moría antes que yo y volvía a encontrarse viviente, se prestaría a hacer la prueba. Por la persistencia de su esfuerzos para vencer las dificultades de la comunicación en la medida de lo posible, por su celo en servir de introductor en las sesiones, por el buen resultado de los avisos que nos dió, a mí como experimentador y a los demás concurrentes, en lo que puedo juzgar de este problema complejo y todavía oscuro, ha desplegado todo el ardor y la perseverancia que en vida caracterizaban a Georges Pelham y no han sido de naturaleza cambiante ni esporádica. Tuvieron todas apariencias de una personalidad continua y superviviente, y así continuó en el curso de muchos años, guardando su carácter de independencia aunque los amigos de Georges Pelham estuvieran presentes o ausentes de las sesiones».

Más adelante, Hodgson, termina:

«Por el momento, creo, sin tener la menor duda, que las comunicaciones de que he hablado son efectivamente de las personalidades que dicen ser, que han sobrevivido al cambio que llamamos muerte y que han comunicado directamente con nosotros, los llamados vivientes, por mediación del organismo de la señora Piper en estado hipnótico».

No nos cansaremos de repetir que estas comunicaciones fueron rodeadas de las mayores garantías científicas. Hodgson, cuyas conclusiones acabamos de citar, era un eminente doctor en Filosofía y Letras; y joven aún, comenzó a ocuparse de los estudios psíquicos con el solo objeto de descubrir los fraudes y desenmascararlos. Hizo expresamente un viaje a la India para reducir a la nada a los fenómenos atribuídos a los yoguis y a los faquires, lo que consumió de un modo pleno. Más tarde, se dirigió a los Estados Unidos pensando obtener el mismo resultado con la señora Piper; pero allí, el buscador de fraudes fue vencido, se convirtió en un miembro asiduo de la Sociedad de investigaciones Psíquicas y no vaciló en hacer profesión de fe.

En los *Anales de Ciencias Psíquicas*, se puede leer:

«El reverendo dr. Minot J. Savage, que conocía íntimamente al dr. Hodgson y que le consideraba como uno de los investigadores más escrupulosos, científicos y escépticos que conoció jamás, dice de él que después de haber combatido contra esta convicción durante años enteros, se vió obligado a dar a conocer al mundo entero, que los hechos le habían puesto en la necesidad de creer que los que llamamos muertos son los que viven, que podemos comunicar con ellos, que estaba seguro de haber comunicado con alguno de sus amigos fallecidos, y que había, por fin, establecido de un modo científico y absoluto la identidad de

24

algunas de las inteligencias que se manifestaban por medio de la señora Piper».

Es interesante notar la hermosa prueba de identidad que el Doctor Minot Savage obtuvo de su propio hijo. Este caso, escrito por él mismo, relata que en el curso de una de sus sesiones con la señora Piper, se manifestó una personalidad que decía ser hijo de Minot Savage. Omitimos la descripción de los incidentes que se produjeron, para limitarnos a este último episodio:

«En la época de su muerte, mi hijo ocupaba una habitación en la calle de Joy, en Boston, en compañía de un estudiante de Medicina y de otro antiguo amigo. Anteriormente vivió en la calle de Beacon, y se había trasladado después de mi última visita, por lo cual yo no conocía la habitación de la calle de Joy; y como yo jamás había oído hablar de ella, no entendía lo que quería decirme a este propósito. Finalmente, dijo: —Papá (y esto con sentimiento de viva ansiedad), quisiera que fueras inmediatamente a la habitación en que yo vivo, y busques en mi cajón. Encontrarás un montón de hojas sueltas; hay algunas que quisiera que apartaras para destruirlas inmediatamente—. Después de haber dicho esto, no se mostró satisfecho hasta que le prometí formalmente hacer lo que me pedía.

Es preciso hacer notar que la señora Piper se

encontraba en un estado hipnótico profundo mientras su mano escribía la comunicación. No conoció personalmente a mi hijo ni recordaba haberle visto jamás. Además, esta alusión a las hojas de papel, que por una razón desconocida deseaba destruir, es de tal naturaleza, que excede los límites de toda conjetura posible, aun en el caso de que la señora Piper estuviera despierta. Aun cuando me encontraba en relaciones de verdadera intimidad con mi hijo, semejante petición por su parte me pareció de tal modo inexplicable, que no traté ni de adivinar la causa. Me dirigí a la habitación que había ocupado mi hijo, busqué en el cajón, reuní todos los papeles, y en cuanto comencé a examinarlos, comprendí las razones y la gran importancia que concedía a lo que me rogó que hiciera. Allí se encontraban cosas que había confiado a la seguridad de su cajón y que a ningún precio hubiera consentido hacer públicas. No seré yo, ciertamente, quien viole este secreto revelando su contenido. Me contentaré con decir que la ansiedad de mi hijo estaba perfectamente justificada. Quizá alguien, pueda explicarme cómo la señora Piper podía conocer tal secreto».

En este relato encontramos la revelación de un asunto de orden íntimo y evidentemente ignorado de toda persona viva. Por tanto, la telepatía no es una explicación satisfactoria y la intervención del hijo de Minot Savage parece cierta.

No sólo las sociedades de investigación son las que han obtenido resultados parecidos, pero son las que poseen una abundante colección de documentos clásicos a los cuales se puede conceder crédito, pues siempre han rechazado las narraciones que no estuvieran perfectamente testificadas. No obstante, fuera de ellas, poseemos una abundante documentación de hechos rodeados de garantías experimentales. Veamos el caso siguiente, para el cual fué necesario un año de investigaciónes antes de poder establecer la identidad del comunicante.

Ocurrió en el despacho de la casa de comercio de M. Fidler, de Gotemburgo, Suecia.

«La señora Piper d'Esperance escribía una carta de negocios, cuando sobre dicha carta comenzada apareció espontáneamente el nombre de Sven Stromberg —papel perdido, pensó— pero, sin embargo, la señora d'Esperance guardó esta hoja. Por la noche mencionó el hecho en su informe diario, de modo que la copia de la carta que quedó en el despacho, fue hallada más tarde y sirvió para justificar la fecha (3 de Abril).

Nadie conocía a Sven Stromberg, y el incidente hubiera sido olvidado si dos psicólogos tan conocidos como Aksakof y Boutlerow no hubieran llegado dos meses más tarde con objeto de efectuar otros experimentos. Estos señores se proponían intentar algunos ensayos de fotografía espiritista. Desde la primera sesión, una entidad directora, Walter, intervino para decir: —Hay aquí un hombre llamado Stromberg, que desea hacer saber a su familia que ha muerto—. M. Fidler preguntó entonces si era el mismo que había escrito su nombre sobre una hoja de papel en su despacho. Contestaron afirmativamente, añadiendo que su familia vivía en el Jemtland, pero que él había muerto en América, en Nueva Estocolmo.

En este intermedio, los señores Boutlerow y Aksakof, preparando sus experimentos fotográficos, hicieron un sencillo ensayo para ver si el aparato estaba en condiciones...¡Sorpresa!... La señora Piper d'Esperance se sintió tocada por una mano, y cuando estalló la luz del flash, uno de los concurrentes declaró haber visto un hombre detrás de ella. Walter dijo entonces que había sido el llamado Stromberg, muerto en Nueva Estocolmo el 31 de Marzo. Revelada la placa inmediatamente, pudo confirmarse la aparición; pero nadie conocía a Stromberg, y con la esperanza de obtener nuevos datos, se envió la fotografía a Jemtland para averiguar si un hombre de aquella apariencia había emigrado a América en aquella época.

Por su parte M. Fidler escribió al cónsul de Suecia en el Canadá.

La respuesta de Jemtland fue negativa; el cura de la parroquia de Stroem, a donde se envió la fotografía, contestó que sólo conocía a un llamado Sven Ersson, que se casó y marchó a América en aquella época. Por otra parte, no se conocía Nueva Estocolmo;

28

de modo que se creyó por un instante que el asunto debía abandonarse.

Pero todo se puso en claro cuando llegaron noticias de América. Los informes tardíos facilitados por el cónsul y por otro corresponsal del señor Fidler, probaron que Sven Ersson, de la parroquia de Stroem (en Jemtland), Suecia, se había casado con Sarah Kaiser y emigrado al Canadá, donde había tomado el nombre de Stromberg, compró un terreno en un país llamado Nueva Estocolmo, tuvo tres hijos y había muerto, anteriormente, el 31 de Marzo de ese mismo año.

Este es el hecho concretado a su parte esencial. Cada cual es libre de inventar teorías fantásticas para explicar tales manifestaciones por el misterio del subconsciente, pero en verdad es mucho más fácil creer en los comunicantes, como dice el profesor Hyslop.

3 Casos de Experimemtos Psíquicos

Hemos recurrido con preferencia a los experimentos cuyas condiciones parecen responder a todas las exigencias científicas; pero no debe creerse que los representantes de la ciencia son los únicos calificados para registrar estos fenómenos. Por el contrario, sus métodos y su escepticismo contrarían la manifestación e impiden muchas veces que se produzcan. Se obtienen manifestaciones interesantísimas en las sesiones privadas, pero el testimonio de los entendidos es necesario para afirmar lo que los espiritistas han observado y estudiado con total precisión.

Podríamos escribir este libro apoyándonos solamente en la documentación espiritual, pues los espiritistas, lo mismo que cualquiera, son capaces de discernir lo verdadero de lo falso. Basta con estar provisto de buen criterio para juzgar, tener un espíritu recto y una pura intención, cualidades que no siempre confiere un título.

Veamos un ejemplo de la pruebas de identidad que pueden producirse en una sesión espiritista, en el caso siguiente, que tomamos del admirable estudio de Gabriel Delanne:

CASO DEL ABATE GRIMAUD

«Se hallaban reunidas doce personas en casa de M. David, plaza de los Santos Cuerpos, en Avignon, para la sesión semanal de espiritismo.

Después de un instante de recogimiento, se vió a la médium Mme. Gallas (en estado de trance) volverse del lado del señor Abate Grimaud y hablarle por señas, en el lenguaje de los sordo-mudos. La rapidez mímica era tal, que tuvieron que rogar al espíritu que comunicara más lentamente, a lo que accedió en seguida. Por una precaución cuya importancia podrá apreciarse, el Abate Grimaud anunciaba las letras a medida que las tramsmitía la médium. Como cada letra aislada nada significa, era imposible, aún haciendo un esfuerzo, interpretar el pensamiento del espíritu, y únicamente cuando terminó la comunicación pudo ser conocido, haciéndose la lectura por uno de los miembros del grupo encargado de transcribir los caracteres.

Además, la médium había empleado un doble método:

El que anuncia todas las letras de una palabra

para indicar la ortografía, única forma sensible para la vista, y el que no enuncia más que la articulación sin tener en cuenta la forma gráfica, método del que es inventor M. Fourcade, y que solamente se usa en la Institución de Sordomudos de Avignon. Estos detalles fueron proporcionados por el Abate Grimaud, director y fundador del Establecimiento.

La comunicación relativa a la obra de alta filantropía a la cual se ha entregado el Abate Grimaud, estaba firmada por: «Hermano Fourcade», fallecido en Caen.

—Ninguno de los asistentes, a excepción del venerable eclesiástico, ha conocido ni podido conocer al autor de esta comunicación, aún cuando pasó algún tiempo en Avignon, hace treinta años, ni su método—.

Firmaron: Los miembros del grupo concurrente a esta sesión: M. Toursier, director retirado del Banco de Francia, M. Rousell, Domenach, David, Bremond, Canuel y señoras de Toursier, Rousell, David y Bremond.

Al acta se une el atestado siguiente:

El que suscribe, Grimaud, sacerdote, director fundador de la institución de sordomudos, tartamudos y niños anormales, de Avignon, certifica la exactitud absoluta de todo lo relatado anteriormente. Debo, a la verdad, confesar que estaba lejos de esperar semejante manifestación, cuya importancia comprendo desde el punto de vista del espiritismo, del cual soy un adepto ferviente, y así me complazco en declararlo públicamente».

Debemos reconocer que una comunicación obtenida con signos convencionales, que únicamente el difunto conocía, nos da la mejor prueba de identidad que pueda desearse.

Estas pruebas se obtienen muchas veces por medio de la escritura. En vano dirán que debe desconfiarse de los mensajes automáticos, nosotros sabemos lo que puede producir el automatismo y sabemos también de lo que son capaces las personalidades segundas. Pero ni el automatismo ni la personalidad segunda podrían inventar los detalles relativos a asuntos de familia, revelar cosas que el difunto era el único en conocer, y escribir en una lengua que el médium no conoce, y estas creaciones ficticias no podrían tampoco imitar la escritura de la persona que trata de identificar.

Un personaje del Más Allá, presentado bajo el nombre de Elvira, daba pruebas de su poder y de su existencia real, imponiendo al cerebro de una niña la sugestión de un sueño determinado.

He aquí un ejemplo de las manifestaciones que la misma entidad produjo por medio de la escritura. El doctor Ermacora es quien hace este relato:

Caso del Doctor Ermacora.

«La señora María Manzzini, residente en Padua, escribe desde hace varios meses automáticamente. Habitualmente es influenciada por una personalidad que se anuncia bajo el nombre del Elvira.

El 21 de Abril la señora María Manzzini recibió una carta de Venecia informándole de que su prima María Alzetta estaba gravemente enferma. Hacía mucho tiempo que la señora Manzzini no tenía noticias de esta pariente; solo sabía que habiéndose quedado viuda sin hijos, se volvió a casar, teniendo dos hijos de su segundo marido.

La noche de este mismo día escribió en mi presencia bajo el «control» de Elvira. Hizo las preguntas siguientes:

Pregunta.—¿Puedes decirme si mi prima está gravemente enferma?.

(Después de minuto y medio de espera).

Respuesta.—Le queda muy poco tiempo de vida. Deja tres niños encantadores.

P.—¿Has sabido esto por vez primera cuando yo he recibido la carta anunciando la enfermedad?.

R.—No, lo sabía desde hace mucho tiempo; pero no quería decir nada temiendo apenar a María (la médium).

P.—He ido a ver cómo estaba a fin de poder dar noticias precisas.

Al día siguiente la señora Manzzini escribió a Venecia ofreciendo ir a visitar a la enferma. El 24 recibió contestación en la cual le expresaban el deseo de verla llegar, diciendo que la enferma se encontraba en el hospital; escribió de nuevo para preguntar los días que autorizaban la visita. Antes de que llegara la contestación, la señora Manzzini escribió en mi presencia (el 28 de Abril) bajo la influencia de Elvira, y formulamos las siguientes preguntas:

P.—¿Cómo sigue la enferma de Venecia? ¿Sabes por qué no he recibido contestación a mi carta? ¿Conoces los días de visita en el hospital?.

R.—La enferma sigue lo mismo. Hay pocas esperanzas. Ha sufrido una grave operación y éste es el peligro. Mañana por la mañana recibirá María la carta. Las visitantes como ella son recibidas todos los días en el hospital.

P.—¿Al decir como ella, quieres decir pariente de la enferma?

R.—No. Los que, como ella, vienen de lejos.

No podíamos comprender qué relación existía entre la enfermedad de los pulmones y una operación quirúrgica. Preguntamos:

P.— Si la enferma es tuberculosa, ¿que operación ha podido hacérsele?

R.—Es tuberculosa, pero la operación era necesaria desde que nació su última niña.

En resumen, concluye el doctor: La escritura automática nos informó de hechos enteramente desconocidos de nuestra conciencia ordinaria, en particular el hecho de que la enferma tenía tres hijos y que había sufrido una operación.

Estamos lejos de poder invocar aquí la telepatía y la clarividencia como una explicación.

Finalmente, un mensaje automático explica el fenómeno de la manera más sencilla, y esta explicación parece ser la única verdadera».

Dr. G. B. Ermacora.

Se obtienen también pruebas de gran valor en los casos en que ciertos manifestantes, absolutamente desconocidos de las personas presentes, revelan las circunstancias de su muerte y dan detalles que se encuentran confirmados después de seria investigación. Hemos citado ya el caso de Stromberg. En las sociedades de estudios psíquicos se han publicado otros análogos. Son casi siempre desgraciados muertos en accidente, o suicidas, que dan todos los informes necesarios para la reconstitución de su identidad. Bozzano relata también, el hecho de una niña muerta por envenenamiento y que es realmente de una fuerza tal, que convencería a los más escépticos.

4 Los Fantasmas y las Materializaciones

No terminaremos este libro sin hablar de nuevo de los fantasmas. Conocemos las dificultades suscitadas por el problema de las materializaciones. Si las apariciones son difíciles de producirse, es mucho más difícil todavía comprobarlas. De modo que no solamente puede discutirse la existencia del fantasma, sino que podemos preguntarnos si una aparición podrá llegar algún día a probar su identidad.

Veremos algunos ejemplos en que ha sido obtenida esta prueba de identidad. En estos ejemplos la manifestación se produjo con bastante intensidad y se repitió con suficiente frecuencia para que se convencieran los experimentadores de que se encontraban en presencia de una entidad inteligente que tenía toda la apariencia del difunto.

Tenemos primero el caso tan célebre de la mujer de Livermore, Estrella. He aquí lo que puede leerse en la obra de Aksakof, a propósito de su comunicaciones escritas:

«Fueron más de cien, recibidas sobre tarjetas que M. Livermore, marcaba y traía el mismo, y fueron todas escritas, no por el médium (cuyas manos sujetaba M. Livermore, durante toda la sesión), sino directamente por la mano de Estrella, y algunas veces ante la vista de M. Livermore, a la luz instalada a propósito, luz que le permitía reconocer perfectamente la mano y hasta todo el rostro de la que escribía. La escritura de estas comunicaciones es una perfecta reproducción de la escritura de la señora de Livermore en vida.

Encontramos aquí una doble prueba de identidad. Se comprueba no solamente por la escritura, en todo igual a la de la difunta, sino también por el idioma en que estaban escritas, desconocido por el médium. El caso es sumamente importante y presenta a nuestros ojos una prueba de identidad absoluta».

Otra señora recibió una prueba semejante, por la mediumnidad de Eglinton y procedente de un amigo difunto. Este amigo era austríaco y la correspondencia se hizo en inglés. Una vez, sin embargo, recibió una carta en alemán escrita con caracteres góticos muy bellos y de un estilo impecable. Esta carta en alemán, observa Aksakof, presenta el mismo valor que la de Estrella escrita en francés.

Se encuentran casos parecidos apoyados por testimonios que no todos tienen el mismo valor; pero nosotros sabemos lo bastante para deducir que el fenómeno es posible y que la prueba de identidad se ha hecho.

Tenemos la suerte de poseer un caso decisivo; es el de un fantasma aparecido espontáneamente en una casa frecuentada por duendes, y visto por una señora que pudo entrar en relación con él, gracias a sus dotes naturales de clarividencia. Por su mediación, la Sociedad de Investigaciones Psíquicas pudo emprender una investigación que no deja ninguna duda sobre la realidad objetiva, ni tampoco sobre la identidad personal de la aparición. Esta prueba consiste en el conocimiento de los asuntos terrestres, por parte de un espíritu fallecido.

CASO DE LA SEÑORA CLAUGHTON

«Este caso ha sido investigado por F. W. H. Myers, que ha conocido los nombres de todas las personas implicadas en esta historia íntima y que responde de la realidad de todos los hechos comprobados.

La señora Claughton es una vidente; existen varios en su familia, pero ella jamás ha tratado de desarrollar sus facultades. Es una señora viuda que frecuenta la buena sociedad, que tiene dos hijos, y que es conocida de todos como una mujer afable, inteligente y activa. Muy ocupada con sus propios asuntos, no se interesa por otros.

Vivió durante un tiempo en Blake Street, número 6, en una casa propiedad de la señora Appleby, hija de la señora Blakburn, que había muerto allí, a los tres días de residencia. La casa decían que era frecuentada por duendes. La señora Claughton hacía cinco días que habitaba en la casa, cuando vió un fantasma, que describió, y que coincidía en todo con las señas de la señora Blakburn, muerta en la casa y completamente desconocida de la vidente. Existen fantasmas, y de que habló largamente de hechos desconocidos de las señora Claughton. Algunos pudieron ser inmediatamente comprobados, resultando exactos.

Los otros detalles que le fueron dados concernían a una misión íntima, que la señora Claughton fué intimada a cumplir. Se le dieron indicaciones de una aldea de la que jamás había oído hablar. (Myers la designa con el nombre de Meresby). Se le designaron con sus nombres y con otras indicaciones las personas que debía visitar allí; se le anunció exactamente los diversos incidentes del viaje que debía efectuar. La señora Claughton se trasladó a Meresby, donde lo encontró todo conforme a las premoniciones que le fueron facilitadas. Se le había dicho que recibiría instrucciones complementarias y las recibió, en efecto; había recibido orden de hacer ciertas comunicaciones

42

a los supervivientes y las hizo, y si la comprobación no ha podido aplicarse a estas revelaciones íntimas, al menos ha aportado pruebas materiales de que realizó, efectivamente, el viaje y las visitas, conforme al relato que ella hizo. Además, no tenía ningún otro motivo para ir a visitar a aquellas personas que le eran por completo extrañas.

Debía cumplir no se sabe que ceremonia secreta, en la iglesia del lugar, a media noche. Dió los pasos necesarios para obtener la autorización de esta delicada formalidad. (Myers ha conocido los motivos del secreto que guardan los interesados supervivientes, y juzga que su silencio está plenamente justificado). No existe ninguna hipótesis acertada para explicar que esta señora emprendiera el viaje y realizara todas las gestiones bajo el imperio de una sugestión loca, máxime cuando para ella solo suponía un cúmulo de molestias y disgustos, y que para obedecer a la intimación del fantasma, había dejado un niño enfermo en su casa.

Debe notarse que a la primera palabra del fantasma de la señora Blakburn, la señora Claughton había respondido preguntándole:

¿Estoy soñando o es una realidad?. Y que la señora B... le había respondido: Si duda usted, compruebe la fecha de mi matrimonio.

Y le dió la fecha exacta de su matrimonio, celebrado en la India.

La noche siguiente, el fantasma de la señora B... reapareció acompañada de un hombre que dijo estar enterrado en el cementerio de Meresby, y que dió el nombre de George Howard. Como la señora C... no le conocía, se le indicó también la fecha de su casamiento y la de su defunción, rogándole que examinara estas fechas en los registros de la parroquia. Se le rogó que después de esta comprobación, se dirigiera a la iglesia durante la noche, que se encerrara sola y que esperara cerca de la sepultura de Richart Hart, que se encontraba en el ángulo Sudeste. Dió igualmente, su edad, y la fecha de su fallecimiento, que podría comprobar en los registros, y la invitó a ir a coger rosas blancas, que encontraría sobre su tumba, y que se las enviara al doctor Ferrier junto con su billete del ferrocarril. Para esto le anunció que el billete del ferrocarril no le sería recogido a la llegada. Le anunció que recibiría la ayuda de un hombre moreno, llamado José Wrigth; su mujer, en cuya casa encontraría asilo, le declararía que tenía un hijo enterrado en el mismo cementerio; después de esto sabría el final de la historia sobre la que se guarda el secreto. Estas revelaciones fueron hechas estando presentes los dos fantasmas, pero una tercera persona apareció, cuyo nombre no debía revelar la señora C... Permanecía de pie a la derecha de al señora B..., y parecía muy afligida, ocultando el rostro entre las manos, al terminar, la señora C... se desmayó, no sin antes recurrir a la señal de alarma que había colocado debajo de su almohada a raíz de la primera aparición.

El doctor Ferrier, que era administrador de la casa de duendes, comprobó la fecha del casamiento de los señores Blakburn, y se aseguró en la oficina de Correos de que Meresby existía efectivamente en el condado de Suffolk.

La señora C... abandonó Blake Street y se dirigió a Londres el viernes, donde soñó que llegaba a la aldea en día de fiesta, y que iba de un lado para otro sin tener donde hospedarse. El sábado se dirigió a la estación, entró en la fonda, rogando al empleado que le avisara a la hora de salida del tren; pero el empleado, por error, la buscó en la sala de espera, de modo que perdió el tren.

Visitó el Museo Británico hasta las 3h. 50 m. de la tarde.

En Meresby le costó mucho trabajo alojarse, y por fin encontró asilo en casa de José Wrigth, que resultó ser el sacristán. El domingo, la señora Wrigth le habló de una hijita que tenía enterrada en el cementerio. La señora C... asistió a misa, terminada la cual se dirigió a la sacristía, donde comprobó las fechas en los registros; José Wrigth había conocido a Georges Howard, y reconoció sus señas por la descripción que se le hizo del fantasma. Entonces la condujo a las sepulturas de Richart Hart y de G. Howard. En esta última no había lápida, sino tres montículos rodeados de verja y sombreados de rosas blancas. Cogió una rosa para el doctor Ferrier como le habían ordenado; luego visitó al vicario, que no se mostró propicio a sus proyectos. Después de la merienda, visitó, en compañía de la señora Wrigth, un parque que rodeaba la casa de campo de G. Howard; luego esperó la noche, preguntándose si tendría valor para cumplir su misión hasta el final. José Writh la introdujo en la iglesia a la una de la mañana, la registraron para asegurarse de que estaba desierta; al fin, encerrada sola y sin luz, a la una y veinte, velaba cerca de la tumba de Richart Hart, sin sentir miedo alguno, cuando recibió una comunicación, de la que le estaba prohibido hablar. Allí le dieron la continuación del relato comenzado en Blake Street. Le pidieron que cogiera otra rosa blanca en la tumba de G. H. y que la entregara a su hija, cuya dirección le indicaron en Hart Hall, pidiéndole también que le hiciera notar cuán linda era y cómo se parecía a su padre.

A la una cuarenta y cinco, José Wright abrió la puerta a la señora C... Esta cogió una rosa para la señorita Howard, volvió a la casa y se acostó, durmiendo bien, por primera vez, desde que se le apareció la señora Blackburn».

Estos son los hechos. Es inútil tratar de atribuir este fenómeno a una imaginación calenturienta; no puede tampoco atribuirse a la clarividencia, y es igualmente imposible de explicar por la impostura un drama tan complejo que necesita la colaboración de tantas personas honradas y que no se conocían.

La señora Claughton no ha sido la única en ver el fantasma. Antes de su llegada, la hija de la difunta señora Blakburn lo había visto ya, y hasta entonces se habría podido desconfiar; pero lo más interesante de esta historia son los elementos de comprobación y los testimonios, que son irrecusables.

A pesar de esto, existen ciertas personas para quienes un hecho debe ser rechazado por la sola razón de que es increíble; pero como la experiencia nos demuestra diariamente que es absurdo rechazar un hecho por esta sola razón, debemos lamentar la falta de sentido crítico o la pereza intelectual de la mayor parte de las personas que rechazan los fenómenos, por no tomarse la molestia de comprenderlos. La incredulidad voluntaria de los escépticos es mucho más despreciable que la credulidad.

5 Materializaciones en Sesiones Espiritistas

Vamos a citar en éste capítulo los informes de algunos experimentadores sobre la producción, en sesiones controladas, de materializaciones completas. Acabamos de ver cómo el profesor Morselli afirma haber visto estos grandes fenómenos mientras que Eusapia se hallaba sujeta a un pequeño lecho. Como su testimonio es sumamente valioso, hemos buscado el informe de una de las sesiones a las que alude. Eran aquellos, los mejores tiempos de la mediumnidad de Eusapia Paladino, cuya fuerza declinó bastante después.

Sesiones de Eusapia en Génova
Memoria abreviada del Dr. J. Venzano

«A veinte centímetros, próximamente, del gabinete, pusieron una mesa de madera blanca, rectangular y no muy grande; a menos de un metro de

49

ella se dispuso una doble hilera de sillas. A un lado de la habitación se hallaba un piano colocado en sentido diagonal. La estancia estaba vívamente iluminada por una lámpara.

Antes de comenzar la sesión se registró cuidadosamente a la señora Paladino, la médium. Se despojó, en nuestra presencia, de una parte de sus vestiduras. La inspección más íntima, sin ninguna restricción, fué practicada por las señoras Avellino y Montaldo, en una habitación separada, donde la médium se desnudó completamente. Volvió a vestirse, siempre en presencia de las dos señoras citadas, que no la abandonaron un instante, acompañándola directamente al salón de experimentos.

La sesión comenzó a las diez y media.

La señora Paladino se sentó en uno de los extremos de la mesa, teniendo a su derecha al profesor Morselli, y a su izquierda al señor Bozzano, cada uno de los cuales colocó una mano y un pie sobre una mano y un pie de la médium.

Casi inmediatamente la mesa se puso en movimiento. La médium invitó al señor Morselli a colocar el brazo y la mano que le quedaban libres sobre sus rodillas, para comprobar la inmovilidad de éstas. La mesa se levantó más de cuarenta centímetros, quedando suspendida en el aire durante casi un minuto. Debo hacer notar que durante la levitación las manos de los concurrentes estaban levantadas; sólamente la mano derecha de la médium, unida a la mano izquierda del doctor Morselli, tocaba apenas la superficie de la mesa, mientras que su mano izquierda, libre, estaba también en alto.

Poco después se produjo una segunda levitación que duró igual tiempo. Casi en seguida, Eusapia se levantó, descorrió las cortinas del gabinete y se tendió boca arriba sobre el lecho, a cuyos barrotes la ataron fuertemente el doctor Morselli y el señor Avellino, sujetando las muñecas a las dos barras de los lados por medio de una cuerda con numerosos nudos; luego pasaron la cuerda por la cintura de la médium, dándole dos vueltas, y asegurando aún, con muchos nudos, los extremos de la cuerda a los barrotes de la cama. Se disminuyó la intensidad de la luz de gas, pero no tanto que no pudieran leer los pequeños caracteres de un periódico, según comprobó el señor Morselli.

Al cabo de un cuarto de hora, la mesa, que estaba a un metro de nosotros y a veinte centímetros del gabinete, comenzó a moverse por sí sola. Primeramente, se levantó sobre dos patas y dió varios golpes. Poco después, las cortinas se agitaron, como si fueran separadas por dos manos, formándose en la parte superior una ancha abertura, en la cual pudimos todos observar una figura de mujer joven, cuya cabeza y la parte del cuerpo que dejaba ver se hallaban rodeados por lienzos de una blancura inmaculada. La cabeza aparecía envuelta por muchas bandas circulares de la misma tela, que solo dejaba al descubierto una pequeña porción del óvalo del rostro, pero que permitía ver exactamente los ojos, la nariz, la boca y la parte superior de la barbilla.

La aparición fue visible para todos, durante casi un minuto. Se pudieron distinguir las puntas de los dedos de las dos manos que separaban el lienzo de ambos lados del rostro, haciéndose sus contornos más distintos y claros. Antes de desaparecer, la figura inclinó la cabeza para saludarnos y nos envió un beso, cuyo sonido fue perfectamente oído por todos.

Después de algunos minutos de descanso, la mesa comenzó de nuevo sus movimientos automáticos. Entonces las cortinas se separaron repentinamente como si hubieran sido abiertas por dos manos desde el interior, dejando un amplio espacio libre, a través del cual se presentó una figura de hombre musculoso, y envuelto también en telas blancas. La cabeza estaba envuelta de tal forma, que a través de la ligera tela se entreveía el color sonrosado del rostro, los relieves de la nariz, de los pómulos y de la barbilla. Los señores Bozzano y Morselli declaran haber distinguido también una espesa barba en aquel rostro. Esta figura de hombre permaneció visible durante un minuto. Se inclinó varias veces hacia nosotros, y antes de retirarse nos envió muchos y sonoros besos, acompañados de expresivos movimientos de cabeza.

Cuando las cortinas volvieron a cerrarse se oyeron palmadas en el interior del gabinete. En aquel momento oímos la voz de Eusapia, que con tono lastimero llamaba al profesor Morselli. Este se trasladó al gabinete y la encontró atada en la misma posición en que la dejaron. La médium, en sueño hipnótico, se quejaba de tener las muñecas excesivamente apretadas y daba muestras de sufrimiento. El profesor la desligó con mucho trabajo, dado el número y complicación de los nudos. La señora Paladino sólo quedó atada por los pies y la cintura.

El señor Bozzano hizo observar que el profesor se encontraba justamente debajo de la lámpara, viéndose obligado, cuando miraba hacia el gabinete mediumnímico, a resguardar su vista con la mano, de la luz excesiva que venía de lo alto. Entonces rogó al señor Avellino que hiciera el favor de ceder su puesto al profesor, lo que se hizo, ocupando el doctor Moselli la silla marcada con el número 5.

Cuando todos estuvieron en su sitio se pudo observar que, casi instantáneamente, la tapa del piano se alzaba y bajaba automáticamente, produciendo cierto ruido. Al mismo tiempo vimos aparecer fuera de la cortina, a la derecha, una figura de mujer joven, muy parecida a la que se presentó anteriormente. La aparición inclinó la cabeza varias veces, saludando. En seguida se retiró. Entonces fuimos sorprendidos por un hecho nuevo muy importante por el que muchos lectores no vacilarán en tacharnos de alucinados.

Pudimos comprobar que la figura en cuestión, al inclinarse hacia adelante de forma que quedaba a cierta distancia de la pared iluminada por la luz, proyectaba su sombra sobre el muro, y que esta sombra seguía los movimientos de aquel cuerpo que estaba materializado evidentemente.

Entretanto el profesor Morselli, a petición de Eusapia, cuya voz débil y lastimera llegaba hasta nosotros desde el interior del gabinete, se trasladó con su silla cerca del piano.

Algunos minutos después una nueva figura de mujer apareció por el mismo lado del gabinete mediumnímico en que había surgido la anterior. Esta nueva aparición ofrecía alguna analogía con la otra, pero existían entre las dos algunos puntos que las diferenciaban.

El número de vueltas de las bandas blancas que envolvían la cabeza era extraordinario, los bordes anteriores sobresalían de tal forma que la cara aparecía como hundida. El tronco de la forma materializada se hallaba asímismo rodeado de infinitas vueltas. Parecía un vendaje egipcio. La forma materializada se encontraba tan cerca de nosotros que pudimos conjeturar con cierta exactitud la naturaleza del tejido. Nos pareció más tupido que la gasa ordinaria y mas transparente, en cambio, que el batista. La figura se inclino hacia adelante apoyando un codo sobre la tapa del piano. También pudimos observar otro hecho muy curioso. El antebrazo que veíamos era sin duda alguna un muñón, puesto que la manga caía treinta centímetros aproximadamente por delante del piano hasta la tapa del teclado. La aparición agitó varias veces en alto este miembro parcialmente formado, proyectando sobre la pared su sombra y ésta repetía los movimientos del cuerpo.

Apenas volvió a entrar en el gabinete la mujer de las bandas blancas, cuando oímos de nuevo las quejas de la señora Paladino, quien con redoblada insistencia rogaba al profesor Morselli que la librara de las ligaduras que le oprimían tan fuertemente.

Apenas vueltos a nuestro sitios, las cortinas se abrieron de nuevo a cierta altura del suelo y vimos aparecer a través de un espacio alto y ovalado una figura de mujer que mecía en sus brazos un niño. Esta mujer, que representaba unos cuarenta años, tocaba su cabeza con una cofia blanca guarnecida de bordados del mismo color; ocultando los cabellos. Se podían ver los rasgos de un rostro ancho y de frente elevada. La parte del cuerpo que las cortinas dejaban al descubierto estaba rodeado de lienzos blancos. En cuanto al niño, a juzgar por el desarrollo de la cabeza y del cuerpo, parecía tener tres años. La cabecita estaba cubierta de cabellos cortos y se encontraba a un nivel algo superior al de la cabeza de la mujer. El cuerpo del niño parecía envuelto en mantillas de una tela ligera y muy blanca. La mirada de la mujer parecía llena de amor hacia el niño, quien inclinaba la cabecita hacia ella.

La aparición duró más de un minuto. Todos nos pusimos en pie y nos aproximamos, lo que nos permitió seguir los menores movimientos. Antes de que se corriese la cortina, la mujer inclinó la cabeza, mientras que el niño, moviéndola de derecha a izquierda, poso en el rostro de la mujer muchos besos, cuyo sonido infantil llegó hasta nosotros de una manera muy clara.

Tal es el relato rigurosamente exacto de una sesión cuya importancia se concibe fácilmente. En efecto, los fenómenos se han desarrollado en tales condiciones de comprobación, que destruyen en absoluto las objeciones de los adversarios. Las manifestaciones tuvieron lugar a plena luz en un medio elegido, comprobado y severamente preparado por nosotros. La médium fue sometida a una serie de investigaciones tan completa como pudiera desearse. En el gabinete, la médium estaba atada de manera que podía desafiar la crítica más rigurosa...».

DR. J. VENZZANO.

Este es el aspecto ordinario de una sesión experimental con Eusapia, cuando estaba en plena posesión de su mediumnidad.

Naturalmente que el aspecto de los fenómenos cambia según los experimetadores, ya que el fenómeno no es una cosa mecánica y que cada experimentador tiene sus ideas particulares y propone condiciones diferentes, imaginando nuevos dispositivos.

Eusapia tiene el mérito de haber triunfado sobre la incredulidad de los sabios y de haber permitido hacer la prueba objetiva de la realidad de las manifestaciones del animismo. Quizá tenga más mérito por haber sido la primera en haber dado este primer paso.

Para abordar el espiritismo y obtener la presencia de verdaderas entidades, no basta practicar el método de comprobación, que necesariamente mata o paraliza la manifestación; es preciso entrar, aunque sea poco, en la vida del misticismo. Los personajes susceptibles de identificación no son lo bastante consistentes para resistir a los que les rechazan con toda la fuerza de su escepticismo. Esta cuestión tan compleja nos llevaría a una controversia que no tiene aquí lugar.

Queremos citar solamente un extracto del diario de Ven, arzobispo Colley, que hará comprender mejor, lo que debe ser una experiencia espiritista.

«...Diré de una vez para siempre que la aparición de nuestros amigos psíquicos tenía lugar de la manera siguiente:

Yo me situaba habitualmente junto al médium, dormido en sueño hipnótico, sosteniéndole con el brazo izquierdo de tal forma que me hallaba en las mejores condiciones posibles para observar lo que pasaba.

Cuando esperábamos una materialización (y muchas veces de repente, cuando no esperábamos el gran parto psíquico), veíamos elevarse, como de la válvula de una locomotora, a través del traje negro del médium y un poco más abajo de su seno izquierdo, un filamento vaporoso que permanecía apenas visible, mientras no se hallaba más que a una o dos pulgadas del cuerpo de nuestro amigo.

Este filamento formaba poco a poco una especie de nube de donde salían nuestros visitantes psíquicos sirviéndose, al parecer, de este vapor fluídico para formar las amplias vestimentas blancas de que se hallaban rodeados...

...Durante esta sesión, nuestro amigo, a quien llamábamos Samuel, se desprendió del lado de su amigo, convirtiéndose en un ser objetivamente robusto e independiente; el médium estaba en sueño hipnótico; el cuerpo apoyado en el mío, bajo la dirección de una inteligencia que conocíamos con el nombre de «Lilí». M. A. expresó el vivo deseo de que, si podía hacerse sin peligro, la forma materializada, despertara al médium con el concurso de «Lilí», a fin de que éste pudiera ver aquella maravilla, la existencia anormal de su antiguo compañero de colegio y de rito, que se encontraba allí en carne y hueso, como si viviera entre nosotros.

Para no asustar al médium, que era de naturaleza débil, le despertamos tomando grandes precauciones. La escena que siguió es más fácil imaginarla que describirla. Nuestro amigo, al principio, parecía como atontado, luego expresó asombro; interrogó con la mirada al espíritu materializado y saltando del diván en que le habíamos colocado cuando «Lilí» dejó de guiarle, se precipitó hacia su antiguo camarada, gritando:

—¡Es Sam! ¡Aseguro que es Sam!

Siguieron apretones de manos, saludos fraternales entre los dos amigos. El médium era presa de una alegría infantil, nuestro asombro no tenía limites ante aquel sorprendente espectáculo de potencia espiritista... Cuando los dos amigos quisieron hablar al mismo tiempo, hubo un silencio momentáneo, pero ni uno ni otro podían articular la menor palabra; era como si el aliento del médium fuera presa de una alegría infantil; nuestro asombro no tenía limites ante aquel sorprendente espectáculo de potencia espiritista... Cuando los dos amigos quisieron hablar al mismo tiempo, hubo un silencio momentáneo, pero ni uno ni otro podían articular la menor palabra; es como si el aliento del médium fuera necesario a Samuel cuando quería hablar; así la voz de Samuel dejó de oírse en cuanto el médium comenzó a hablar.

Durante algún tiempo, la forma materializada de Samuel permaneció y habló con nosotros, paseándose alegremente con su amigo a lo largo de la habitación y haciendo tantas cosas, que son imposibles de describir. En fin (obedeciendo sin duda a leyes que no podemos comprender), contra su voluntad, Samuel se retiró y fué absorbido por el cuerpo del médium».

El arzobispo añade:

«Mi calidad de arzobispo de Canterbury me obliga a no suprimir ni una palabra de lo que he escrito sobre las cosas vistas y relatadas por primera vez hace largos años y que he meditado en silencio durante veintiocho.

No me sorprende la incredulidad de los ignorantes en lo referente a estas asombrosas maravillas, las cosas que he visto y relatado son tan extraordinarias, que si hubiera tenido lugar una cesación de estos inexplicables fenómenos, si se hubiera detenido el progreso de estas cosas milagrosas, y si no tuviéramos ya pruebas de la realidad de lo que yo sé que es verdad, probablemente el porvenir me haría dudar de esto, de lo cual tan seguro estoy ahora. Si, quizá cesaría de creer en estas cosas, cuya verdad afirmo bajo mi palabra de sacerdote y por las cuales he arriesgado mi posición eclesiástica y mi provenir profesional».

El arzobispo terminaba diciendo que estos extraordinarios fenómenos no eran en modo alguno debidos al azar y que no se obtenían sin preparación.

«Los fenómenos que se nos permitía observar eran —dice— la recompensa de nuestro ascetismo, de nuestra abstinencia de anacoretas y de nuestras costumbres sencillas. Todos los que desasen obtener idénticos resultados deben adoptar las mismas costumbres. Los fenómenos producidos en nuestro círculo hubieran sido imposibles sin esta condición».

Hemos querido citar este ejemplo para mostrar la distancia que separa la sesión de estudio y comprobación experimental de la verdera sesión espiritista. Se obstinan en confundir estas dos cosas. ¿Y que es lo que sucede entonces? Que si se desea comprobar un fenómeno así desarrollado, es necesario sacrificarse a todas las exigencias. Cuando se celebra una sesión espiritista se nos dice: «Esto no tiene nada de científico». Y la sesión experimental nos replica: «No tiene nada de espiritista».

Difícilmente se cree en el fenómeno, pero es muy fácil creer en el fraude. ¡Ah, el fraude!... Sólo hablaremos de él para hacer observar que es una objeción completamente inútil, puesto que la acción de los que comenten fraudes y de los prestidigitadores no tiene ninguna relación con un informe pericial llevado a cabo científicamente. Además, como dice Morselli, los escépticos no hacen más que repetir sus objeciones, a las cuales cien veces se ha respondido victoriosamente.

Ahora bien, para el lector que no sepa defenderse contra esas sugestiones fáciles, vamos a recordar el ejemplo de una materialización célebre para demostrar que la incredulidad no se da jamás por vencida.

Nos referimos a el caso de Katie King. Es el caso clásico comprobado, puesto en evidencia, con toda la evidencia de que es susceptible la débil razón humana. Es un caso del cual los escépticos no quieren oír hablar, pues les molesta y quisieran pasarlo en silencio. Como no han podido ahogarlo totalmente, lo denigran, pero con suposiciones tan groseras, con afirmaciones tan infantiles, que el ridículo cae de rechazo sobre ellos.

Cuando un médium ha resistido victoriosamente todas la comprobaciones, se nos dice que en otras circunstancias ha habido engaño. Esto es discutible, pero así consigue desviar la discusión y no se dejan convencer; se olvidan que, precisamente para responder a estas discusiones, se organizó todo un sistema de comprobación, confiado a un árbitro cuyo veredicto todos aceptaron por adelantado.

En estas condiciones, M. Crookes, que desde hacía muchos años estudiaba toda la serie de fenómenos, fue nombrado árbitro de la mediumnidad de Florencia Cook.

Oiréis decir, hoy todavía, que el fantasma de Katie King fue aprisionado en un abrazo, lo que es cierto, y que Florencia Cook fue desenmascarada de este modo, lo cual es falso.

Un incidente de este género es lo que explotan siempre gentes que ni siquiera sospechan lo que es la mediuminidad.

M. Crookes debía ser árbitro de esta calumnia. En aquel tiempo era ridículo creer en el fenómeno. Las pasiones estaban desencadena-

das, la hora era solemne; M. Crookes comprendía
que su prestigio de sabio podía sufrir y se mante-
nía en guardia.

He aquí la historia:

«Un fantasma había sido aprisionado por uno
de los concurrentes; un verdadero fantasma, así
cogido, tenía que desmaterializarse. No era esta la
opinión de los escépticos, que no conocían en aquel
tiempo más que los fantasmas de Robert Houdin, a los
que una espada atraviesa habitualmente.

El fantasma de entonces debía ser una cosa
impalpable. Este fue cogido, no podía menos que
desmaterializarse, y es lo que hizo. Siguió a esto una
confusión indescriptible, a favor de la cual se dió libre
curso a las suposiciones. Se gritó, se vociferó y como
entre los brazos que creyó abrazar algo corpóreo no
había quedado nada, los malintencionados propalaron
la especie de que la médium había huído amparada
por la oscuridad. Solo una cosa podía hacerse: comprobar el estado de la médium; pero los malévolos no
tenían esos escrúpulos y gritaron a voz en cuello que la
médium se había desprendido de los brazos, lo que era
una calumnia. Tenemos sobre esta sesión el testimonio
de una alta personalidad, el gran naturalista Russell
Vallace. Podemos referirnos a su narración, donde
certifica que la médium fue encontrada con las ligaduras perfectamente selladas.

La médium hizo lo que debió hacer: pensó en
el gran sabio que estudiaba los hechos espiritistas,

prometió someterse enteramente a su aprobación y le pidió que la protegiera.

M. W. Crookes —añade Sir R. Vallace—, una vez obtenido permiso, hizo lo que el señor escéptico había hecho sin autorización; es decir, cogió al espíritu entre sus brazos y comprobó que era, sin duda alguna, el de una mujer viviente.

Sin embargo, esta forma espiritista no era la de Miss Cook ni la de ningún ser humano, ya que apareció y desapareció dentro de habitaciones cerradas y vigiladas cuidadosamente, tanto en la propia casa de M. Crookes, como en la de la médium».

En una primera carta dirigida a los periódicos espiritistas, el sabio profesor escribía:

«Sus lectores me conocen y espero creerán que no adoptaré precipitadamente una opinión, ni les pediré que estén de acuerdo conmigo, después de una prueba insuficiente... Pero si que les pediré que los que se inclinan a juzgar duramente a la señorita Cook, suspendan su juicio hasta que yo aporte una prueba cierta que espero será suficiente para resolver la cuestión.

En este momento, la señorita Cook, se consagra exclusivamente a una serie de sesiones privadas a las que solo asisten dos de mis amigos y yo. Estas sesiones se prolongarán probablemente durante algunos meses, y tengo la promesa de que toda prueba que desee me será concedida. Desde hace algunas semanas no hemos celebrado ninguna sesión, pero he visto lo bastante para convencerme plenamente de la sinceridad y perfecta honradez de la señorita Cook, y para creer que las promesas que Katie me ha hecho tan generosamente, serán mantenidas.

Ahora sólo pido a mis lectores que no piensen ligeramente que todo lo que a primera vista parece dudoso, implica necesariamente decepción, que procuren suspender su juicio hasta que yo hable de nuevo de estos fenómenos».

WILLIAM CROOKES

Tras largos experimentos, M. Crookes escribe al fin:

«Me complace poder decir que al fin he obtenido, la prueba absoluta de la que hablaba en mi carta antes mencionada».

Veamos en que términos expone las precauciones tomadas por él en el curso de los experimentos:

«Durante estos seis meses, la señorita Cook ha visitado mi casa numerosas veces e incluso ha permanecido en ella durante una semana entera. No traía consigo más que un pequeño maletín que jamás cerraba con llave. Durante el día, estaba constantemente acompañada por mi esposa, por mí, o por otro miembro de mi familia. No dormía sola, y le han faltado siempre las ocasiones para preparar fraude alguno, por pequeño que fuera a fin de dar lugar a una superchería para hacerse pasar por Katie King. He preparado yo mismo mi biblioteca y la cámara oscura, y siempre, después que la señorita Cook había cenado y hablado con nosotros, se dirigía directamente a dicha cámara, y, a petición suya, yo cerraba con llave, guardando ésta en mí bolsillo durante la sesión».

No olvide el lector que el hombre que se hace responsable de estos hechos es un físico eminente, un hombre tan experto como Pasteur y Berthelot, que fué miembro de la Real Academia Inglesa, y que fué autor de trabajos célebres sobre Física, Química, Astronomía y Fotografía celeste. Inventor ingenioso del fotómetro y del microscopio espectral, descubrió el talio y ensanchó el dominio de las ciencias descubriendo los estados radiantes cuyos efectos son de un poder tan formidable sobre la materia que permite fotografiarla a través de los cuerpos opacos. ¿Quien es el que, recordando todo esto y el testimonio que acabo de citar, se atreverá a discutir que estas condiciones imponen la certidumbre?

Sin embargo, todo llega, y muchos años después de las pruebas realizadas, todavía se encuentran críticos que creen que la señorita Cook pudo ocultar a una hermana suya en un maletín para introducirla en la casa, escondiéndola durante meses enteros a los ojos de la familia, acostándola y alimentándola, y que en las propias barbas del gran sabio que ejercía la comprobación mas rigurosa, ha podido continuar con éxito, durante seis meses, una grosera comedia. Semejante incredulidad indigna a cualquiera.

Esta exposición no sería completa si no diéramos a conocer la memoria de una sesión, según el mismo W. Crookes:

«Pasemos ahora —escribe el sabio— a la sesión celebrada ayer noche en Hackney. Jamás Katie se ha aparecido con tan gran perfección. Durante más de dos horas se paseó por la habitación hablando familiarmente con los que allí se encontraban. Varias veces cogió, paseando, mi brazo, y la impresión que sentía mi espíritu, era de que una mujer viviente se encontraba a mi lado y no un visitante del otro mundo. Esta impresión fue tan fuerte, que la tentación de repetir tan curioso experimento se me hizo casi irresistible. Pensando en que si no tenía a mi lado un espíritu, tenía, al menos, una dama, le pedí permiso para tomarla entre mis brazos, a fin de poder comprobar las observaciones

que un atrevido experimentador había hecho reciente-
mente conocer de una manera tan brusca. Este
permiso me fué amablemente concedido, y en consecuencia, usé de él (convenientemente, como todo
hombre bien educado lo hubiera hecho en esta
circunstancia). M. Volkam quedará satisfecho al saber
que puedo corroborar su aserto, que —el fantasma—
no opuso ninguna resistencia y que era un ser tan
material como la misma señorita Cook. Pero la continuación demostrará cuán equivocado está un experimentador, por muy cuidadas que sean sus observaciones, cuando se aventura a formar una importante
conclusión sin tener pruebas suficientes.

Katie dijo que se sentía capaz de mostrarse al
mismo tiempo que la señorita Cook. Baje la intensidad
de la luz, y, seguidamente, provisto de mi linterna,
penetré en la habitación que servía de cámara oscura.
Pero antes, rogué a uno de mis amigos, que es experto
taquígrafo, que anotará toda observación que yo
pudiera hacer mientras estuviera en el gabinete, pues
conozco la importancia que se concede a las primeras
impresiones, y no quería confiar a mi memoria más de
lo necesario; en este momento tengo ante mi estas
notas.

Entré en el gabinete con precaución: estaba
todo oscuro, y, a tientas, busqué a la señorita Cook; la
encontré acurrucada en el suelo. Arrodillándome ante
ella, y al resplandor de la linterna, ví a la joven con su
traje negro, lo mismo que estaba al principio de la
sesión, y con una apariencia de completa insensibili-

dad. No se movió cuando cogí su mano ni cuando iluminé su rostro con la lámpara; seguía respirando apaciblemente.

Levantando la lámpara, miré en torno mío y ví a Katie, que se hallaba de pie, detrás de la señorita Cook. Estaba vestida con un ropaje blanco y flotante lo mismo que la habíamos visto durante la sesión de rodillas, y teniendo entre las mías una mano de la señorita Cook, levantaba y bajaba la lámpara, tanto para iluminar la figura entera de Katie, como para convencerme, de una manera cierta, de que realmente veía a la verdadera Katie que había estrechado entre mis brazos momentos antes, y no el fantasma creado por un cerebro enfermo. No habló, pero movió la cabeza en señal de reconocimiento. Por tres veces examiné cuidadosamente a la señorita Cook, acurrucada ante mí para asegurarme que la mano que yo sujetaba era realmente la de una mujer viva, y por tres veces volví la lámpara hacia Katie para examinarla con atención hasta que no tuviera la menor duda de que estaba ante mí.

Al fin, la señorita Cook hizo un ligero movimiento e inmediatamente Katie me hizo señas de que me alejase. Me retiré al otro extremo del gabinete y dejé de ver a Katie, pero no abandoné la habitación hasta que la señorita Cook se despertó y cuando dos de los asistentes penetraron con luz».

6 El Médium. Sensaciones Físicas y Mentales

Vamos ahora a estudiar el médium. ¿Que siente? ¿Cual es su sensación íntima? poseemos un documento precioso, gracias a una aristocrática dama, la señora d'Esperance, dotada de una notable mediumnidad, que ha escrito una especie de autobiografía, la cual nos permitirá darnos cuenta de sus sensaciones físicas y mentales durante la producción del fenómeno de materialización.

Descubrió, de una manera totalmente fortuita, la facultad que poseía. En una reunión íntima, una noche que una lluvia persistente impedía a los amigos volver a sus casas, alguien propuso matar el tiempo celebrando una sesión. Muchas personas se sometieron a la prueba, entrando en la cámara oscura. Unas se dormían, otras se asustaban; al fin, llegó el turno a la señora d'Esperance, a la que dejamos la palabra:

«No quiero verme obligada a confesarlo, pero en aquel momento sentí algo que se parecía mucho al miedo, y experimenté el vivo deseo de correr hacia la luz y buscar la compañía de las demás personas; pero quedé sentada. Me sentía clavada a la silla, temiendo que aquel "algo" me tocase, y con la convicción de que si lo hacía lanzaría agudos gritos. Me sentía unas veces ardiendo y otras helada, y hubiera querido encontrarme al otro lado de las cortinas. Sabía que con solo extender la mano podría descorrerlas, pero me sentía presa de una indescriptible sensación de soledad, de aislamiento, que parecía mantenerme a una enorme distancia de los demás. Esta curiosa sensación sobrepasaba a mi deseo de ser valiente, y estaba a punto de precipitarme fuera del gabinete, cuando una mano, tocándome en el hombro, me obligó a ocupar de nuevo la silla que acababa de dejar. Cosa extraña: esta presión, que en otro momento me hubiera sobrecogido, calmó mi fiebre y mi temor».

Numerosas fueron las formas que aparecieron en torno de la señora d'Esperance; muchas teniendo la apariencia física de personas conocidas por los concurrentes y sin ningún parecido con la médium; pero sucedió también que las imágenes tomaron su completo parecido. Así lo refiere ella en uno de sus relatos:

«Obtuve permiso para abandonar mi asiento y

me dirigí, lentamente y con dificultad, al lado de las cortinas, donde se encontraba una figura blanca. ¡Oh, sorpresa! me encontraba frente a frente con... mí misma; al menos así me lo pareció.

El espíritu materializado era un poco más alto que yo y de complexión más fuerte; tenía los cabellos más largos, los rasgos más abultados y los ojos más grandes; pero mirando aquel rostro, creía verme en un espejo: tan grande era el parecido.

El espíritu posó sus manos sobre mis hombros, y mirándome atentamente, murmuró:

—Querida pequeña mía—».

Este espíritu, que apareció muchas veces y que fue denominado «la dama francesa», era una de las raras apariciones capaz de expresarse con palabras. La autora dice a este propósito:

«Era mi amiga particular, y, como todos sabíamos, venía por mí, aun cuando me prestara mucha menos atención que a los demás asistentes a la reunión. El papel particular que yo debía representar en las sesiones la impedían, quizá mostrar su afecto, pues pude observar que todo lo que ocupaba especialmente mi imaginación o despertaba mi interés, causaba en ella un decaimiento o una notable disminución de su poder entre nosotros. Siempre prestaba más atención a los demás, y especialmente a M. F., que era el único que podía hablar con ella en su lengua natal».

Cierto es que la entidad, manifestándose con la substancia misma del médium, no quiere dejarse arrebatar esta materia que no le pertenece. A la menor excitación, la acción inconsciente del médium tiende a recuperar sus propias células; es, pues, necesario dejar al médium en su sopor y evitarle toda emoción. En algunos casos los asistentes han podido contribuir por sí mismos a suministrar una parte de sus elementos, y por, lo tanto, aliviar al médium.

Un fenómeno tan extraordinario será siempre difícil de explicar; nos vemos obligados a tener en cuenta el análisis psicológico de sí misma que la señora d'Esperance tuvo a bien darnos. Este análisis nos muestra las sensaciones consecutivas y psicológicamente las sensaciones telepáticas que prueban su participación en la vida del fantasma. Pero no se debe llegar a la conclusión de negar toda participación de las entidades del Más Allá.

En efecto, observamos que si la sensación pertenece al médium se precisa su pasividad. El médium no obra sobre el fantasma, y éste tiende a disolverse en cuanto la voluntad del médium tiende a recuperar sus órganos. Esto quiere decir que el fantasma nada puede sino a través de los órganos que toma prestados y sin los cuales no tendría ninguna existencia real en el plano material. Pero no quiere decir que no sea dueño de sus actos en el plano mental.

De hecho, el médium, empobreciéndose fisiológicamente, se encuentra en una situación extraña. Comparte las sensaciones del fantasma, puesto que es su substancia misma quien constituye la materialidad de la aparición; todo lo que toca el fantasma le impresiona y es un error ver en esto una prueba de la identidad del médium con su fantasma. La identidad es solo material, pero la mentalidad del médium queda independiente.

Esta identidad de materia entre dos poseedores, hace que resulten peligrosos los atentados que los curiosos se permiten antes de haberse formado una idea racional del fenómeno. La raza de los incrédulos no conoce le termino medio entre una situación fraguada y una aparición que responde a la idea mística que se hacen de una criatura celeste, idea que existe en ellos en estado pre-concebido.

Lo mismo que Miss Florencia Cook, nuestra médium, fue víctima de uno de esos actos brutales.

He aquí como refiere la señora d'Espeance el atentado:

«No sé como empezó la sesión. Vi a Yolanda

tomar su cántaro y salir del gabinete. Más tarde supe lo que ocurrió. Lo que yo experimenté fue la sensación angustiosa, horrible, de ser ahogada o aplastada; la sensación, imagino, de una muñeca de goma que fuera violentamente estrujada por su infantil propietario. Luego un terror me invadió, una agonía de dolor me estrangulaba; me parecía perder el uso de mis sentidos, cayendo en un abismo horroroso; no sabía, no veía, no oía nada, salvo el eco de un grito agudo que parecía venir de lejos. Me sentía caer y no sabía donde. Quise detenerme, sujetarme a alguna parte, pero el apoyo me faltó. Quede desvanecida y no volví en mí sino para estremecerme de horror, con el convencimiento de estar herida de muerte.

Mis sentidos parecían dispersados y muy lentamente pude recuperarlos para comprender lo que había ocurrido. Yolanda había sido cogida, y el que la sujetaba la tomó por mí».

Desgraciadamente, existen algunas personas que emplean estos actos para propalar que la superchería ha sido descubierta. Un acto así tuvo por consecuencia el colocar a Miss Florencia Cook bajo la inspección científica de los señores Crookes y Varley, y actos de esta índole no han dejado nada entre los brazos de los atrevidos. ¿Es que creyeron que abrazaban a un maniquí?. No, pero la médium salió físicamente agotada y con una grave hemorragia pulmonar.

Esta afrenta tan dura de soportar tuvo más tarde felices consecuencias, y fué que la médium se dijo con su reconocida sinceridad:

«Si tengo yo alguna parte en la creación de estas formas, quiero saberlo».

Y continuando sus experimentos, con su espíritu crítico habitual, decidió no entrar más en la cámara oscura y permanecer entre los concurrentes.

En esta segunda serie de experimentos, debemos consignar dos sesiones instructivas. Podría hacerse la pregunta de si no se trataba de un simple desdoblamiento del médium sin ninguna intervención de la entidad oculta. A esta pregunta va a responder la señora d'Esperance.

Fue en Cristianía, en el curso de una sesión en la que se habían ya mostrado diferentes personajes. He aquí como la señora d'Esperance completa el relato:

«Ahora se ve avanzar otra figura más pequeña, más esbelta con los brazos extendidos. Alguien se levanta desde el extremo del círculo y se abalanza hacia ella, cayendo en sus brazos. Oigo gritos entrecortados:

—¡Ana, Ana! ¡Oh, Ana..., niña mía! ¡Mi amor!...

Otra persona se acerca igualmente y rodea al espíritu con sus brazos; se entremezclan lágrimas, sollozos y acciones de gracias. Siento mi cuerpo llevado de un lado para otro, la oscuridad se hace a mí vista. Siento un brazo en torno mío y sin embargo estoy sola y sentada en mi silla; siento un corazón que late sobre el mío; siento que todo esto me sucede y sin embargo no hay cerca de mí más que dos niños. Nadie se acuerda de mi presencia; todos los pensamientos y todas las miradas parecen concentradas sobre la blanca y delicada figura rodeada por los brazos de dos señoras enlutadas.

En mi corazón el que siento latir tan distintamente. Y sin embargo. ¿Estos brazos que me rodean...? Jamás he tenido conciencia de un contacto tan real; comienzo a preguntarme quien soy yo, si la blanca silueta o la persona sentada en la silla. ¿Son mis manos las que rodean el cuello de la anciana señora o son las mías las que reposan sobre mis rodillas..., o mejor dicho, sobre las rodillas de la persona sentada en la silla en el caso de que no sea yo?.

Ciertamente son mis labios los que reciben los besos; es mi rostro el que siento humedecido por las lágrimas vertidas por las dos señoras. ¿Como puede ser esto? Es un sentimiento horrible el de perder así la conciencia de su identidad. Trato de levantar una de estas manos inútiles para tocar a alguien y saber si existo realmente o si soy juguete de un sueño: si Ana es yo o si he confundido mi personalidad con la suya.

Siento los brazos temblorosos de la anciana

78

señora, siento los besos, las lágrimas y las caricias de su hermana; oigo sus bendiciones, y presa de una verdadera agonía de duda y angustia, me pregunto cuanto tiempo va a durar esto. ¿Cuanto tiempo vamos todavía ser dos...? ¿Como terminara esto...? ¿Seré yo Ana, o Ana será yo...? De pronto siento dos manitas que se deslizan sobre las mías inertes, que me devuelven la posesión de mí misma, y con un sentimiento de exaltada alegría, me convenzo de que soy yo misma. El pequeño Jonte, cansado de pasar desapercibido de todos, se había sentido de pronto aislado y buscaba consuelo en mi compañía.

¡Que profundamente feliz me hacía aquel contacto de la mano del niño! Mis dudas sobre mi individualidad y el lugar en que me encontraba, se desvanecieron... y cuando estos pensamientos llegaron a mí, la blanca silueta de Ana desaparecía en el gabinete y la dos damas volvían a su sitio trastornadas, sollozantes, pero llenas de felicidad».

Se necesita hacer un gran esfuerzo de imaginación para ponerse en la situación del médium y comprender cuan dramática es. Después de muchos años de estudio, la señora d'Esperance se preguntaba todavía si no habría sido víctima de la autosugestión. Segura de su sinceridad, no lo estaba tanto de la realidad de las particiones. Recordaba cuanto se parecía a ella Yolanda; el abrazo brutal de que había sido víctima constituía un nuevo problema. No sentía su cuerpo ni tenía conciencia del lugar que ocupaba; por el contrario, todos los contactos que veía hacer al fantasma eran sentidos por ella con intensidad; los concurrentes, ocupados únicamente de la aparición, parecían ignorar su presencia, y sus ideas se trastornan. Al fin, una caricia de niño la saca de esta angustia; ya no está ausente, esta allí, en su silla, a la vista de todos; no es la otra, en quien todas sus sensaciones parecían confundidas.

La frase «¿Seré yo Ana o Ana será yo...?» es de lo más expresivo, dentro de su sencillez. Expresa la angustia sincera de la médium y explica los juicios ligeros de los experimentadores malintencionados. En efecto, la confusión de las sensaciones puede conducir al médium a no distinguir entre el propio organismo y su doble. Cuando quiere hacer un esfuerzo, como en el caso de Eusapia, a quien se imponen experimentos de efecto físico, no puede discernir si es el miembro fluídico invisible o si es la mano de carne quien obedece a la sugestión. Y al menor gesto sospechoso de esta última, se formulan los juicios más injustos.

En el caso de la señora d'Esperance es el cuerpo entero el que experimenta esta incertidumbre de sí mismo; pero la facultad de razonar

80

queda intacta, como dice muy justamente M. G. Delanne.

«Parece indiscutible que, en tanto que materia, el médium y el fantasma, son solidarios y están íntimamente ligados. Pero bajo el punto de vista psicológico, la separación es completa; son dos seres distintos que existen al mismo tiempo, pero tan diferentes uno de otro como si la misma substancia no les sirviera al mismo tiempo. Un espíritu materializado y un médium, se parecen a esos hermanos siameses que tienen una parte de común, pero cuyas cabezas piensan separadamente».

De modo que el fenómeno toma la substancia del médium, disocia los organismos sin disolver la individualidad pensante. Es, como si dijéramos, lo contrario de una salida del alma; el alma queda y el cuerpo se ausenta en parte, obedeciendo la sugestión de una influencia extraña.

Podríamos citar otras materializaciones célebres. En Londres, Aksakof consiguió fotografías en las cuales el médium y la aparición se veían simultáneamente. El médium era Eglinton, el mismo que dió la magnífica aparición testimoniada por el pintor James Tissot, y cuyo soberbio grabado se conserva como recuerdo.

No se ha olvidado la obra de este admirable artista que, dotado de una particular perceptiva, no era un hombre capaz de dejarse engañar.

RELATO DE LA SESIÓN
CELEBRADA EN CASA DEL MÉDIUM EGLINTON

«Después de cenar, subimos a la sala de sesiones. El círculo es poco numeroso, simpático. Al poco rato, en la habitación elegida para el experimento, el médium cae en trance y se sienta detrás de mí. De tiempo en tiempo se levanta y se pasea muy agitado, se frota las manos, gime, anda por la oscuridad como si viera claramente, sin tropezar, y se deja caer sobre una silla baja colocada detrás de mí, que gime al menor movimiento. Se duerme.

Yo hablo con mis vecinos de cosas indiferentes. Algunas veces cantamos. El "guía" Joey nos recomienda que no cesemos de conversar sobre cualquier cosa, pues al menor silencio, la ansiedad que cada uno sentimos fatiga y aniquila al médium.

—¡Katie está aquí— me dice una voz.

Uno me señala una luz a la izquierda, detrás de mí.

Miro rápidamente, y apenas llego a verla, pues la forma se desvanece.

He mirado demasiado pronto. Mi ansiedad ha

neutralizado la materialización. Prometo no mirar hasta que la forma se haga bien distinta. Al cabo de dos minutos, la luz aparece de nuevo. Espero un poco, y muy lentamente me voy volviendo hacia la izquierda. Veo entonces muy cerca de mí una forma humana iluminada por un foco luminoso que sale del pecho con luz muy azulada. La cabeza, envuelta en lienzos blancos, me parece muy pequeña, apenas del tamaño de una manzana. Va agrandándose. Veo una figura de mujer completamente formada que se inclina hacia mí y me mira. Es Katie, si, es ella. Me fijo en su barbilla. Me parece más pequeña de lo que tengo costumbre de pintarla; reconozco su angelical sonrisa, llena de dulzura. Si, es Katie. Su cuello es poco visible entre el ropaje que cae sobre su pecho.

Joey me advierte que Katie no está todavía bien formada, que va a volver, y me ruega que no mire hasta que la aparición sea completa.

Hablamos de cosas triviales, puesto que es necesario. Mis vecinos, al ver la materialización de la figura, exclaman:

—¡Oh, que rostro tan dulce...! ¡Que lindo...!

Katie aparece esta vez mas visible. La que está junto a mí parece una persona de aspecto viviente. El rostro es azul, como iluminado por la luna.

—¡Si... es mi Katie!— pero desaparece antes de que pudiera observar el resplandor de sus manos.

Al cabo de algunos instantes vuelve a aparecer, y esta vez puedo examinarlo todo. Las manos juntas parecen sostener un cristal luminoso, su busto

83

parece como iluminado por una lámpara eléctrica colocada bajo su pecho. La figura se desvanece. ¿Se habrá terminado?...

Una luz aparece a mi derecha; es la forma de un hombre de tez bronceada, labios rojos, barba negra y la cabeza envuelta en una muselina blanca a modo de turbante, que también envuelve el cuerpo. Su mano presenta un cuerpo brillante que le ilumina. Pasa a mi izquierda, por detrás de mí, atraviesa la sala por delante de nosotros, mostrándose a las personas de la derecha; luego se desvanece en el suelo. Se cree que es Ernesto, el guía del médium. Transcurren algunos momentos de espera y la conversación languidece.

—Dos luces cerca de nosotros, señor Tissot! ¡Dos formas! ¡Oh, que hermoso!

—¿Puedo mirar...?

—¡Si, si...! ¡Es Katie y el guía...!

En efecto, me vuelvo hacia la derecha, reuniendo con una sola mano las de mis vecinos, a fin de no interrumpir la cadena y poderme volver con más facilidad. Veo un grupo admirable, iluminado por el mismo resplandor azulado, pero un poco más blanco, como si tuvieran entre las manos un trozo de luna. Es la misma forma anterior de hombre, de aspecto indio, que trae con él una joven, que es Katie.

—¡Oh, qué hermoso..! ¡Es más bello de lo que yo esperaba...! ¡Es Katie!

Me fijo en todo, en los pliegues de las telas, en la colocación de las manos. Una de las manos del hombre se aproxima a Katie, como para iluminarla mejor, la otra le rodea con su ropaje. Parece que la protege, como fuera su hija o su hermana. Y mientras yo continúo devorando esta escena con la mirada, Katie se inclina y me besa en los labios. Siento el roce de una piel delicada como la de un niño; la epidermis me parece viva y de un suave calor; su expresión es la misma de siempre, de felicidad intensa; el beso de Katie me parece un beso humano. Se yergue y volviendose a inclinar hacia mí, me da un segundo beso. Luego se retira lentamente y todo desaparece.

Todos los asistentes han visto la aparición, unos de perfil y otros de frente, según la posición que ocupaban. Mi vecino y yo estábamos, según dice, tan iluminados como la aparición misma. El grupo era prodigiosamente impresionante.

¡Qué sorpresa y cuán imprevisto este conjunto de figuras humanas y sobrehumanas!

JAMES TISSOT

Estas hermosas manifestaciones son muy raras. Raros son también los sujetos que pueden darlas y más raros todavía son los observadores capaces de dirigir bien una sesión. Hace falta para ello un conocimiento que no se puede adquirir más que por el estudio del fenómeno. El experimentador imbuído de los prejuicios corrientes, el que se forma una idea falsa de lo que debe ser una aparición, no respeta la técnica y nada obtendrá. O bien es un convencido por adelantado, con lo cual favorece el fraude, no tomando las precauciones necesarias, o es un escéptico dispuesto a tomar por fraude lo que sólo lo es en apariencia.

Felizmente, sucede con las materializaciones lo mismo que ha sucedido con los otros fenómenos; poco a poco la Ciencia se apodera de ellos, los analiza, obtiene fotografías, modelados y no tarda en convencerse. El fenómeno de laboratorio no alcanza el desarrollo de la manifestación espiritista porque se le somete a la disección de un examen metódico; pero el hecho reducido a su más simple expresión, gana en certidumbre lo que pierde en belleza.

Desde que son conocidas estas grandes manifestaciones, los experimentos han permitido adquirir nociones ciertas sobre la naturaleza de la aparición. Una substancia emana del médium, evoluciona a nuestros ojos bajo la forma de una nube luminosa que se va condensando hasta la creación parcial de un dedo, una mano o un rostro. Estas formas, emanen de nosotros mismos o de entidades invisibles, las consecuencias no por ello son menos formidables, pues la substancia plástica se modela y obedece a la dirección del pensamiento. La ideoplastia es una palabra que debe sonar mal en los oídos de un materialista, pues no es posible admitirla sin renunciar al dogma ridículo del alma función; pero es muy difícil desviar su convicción. El hecho de las materializaciones ha levantado contra él tantas cóleras, ha provocado tantos desdenes, que las acusaciones de fraude son siempre acogidas sin reflexión.

Cuando el profesor Richet comprobó en Argelia, en casa del general Noel, la realidad de estos fantasmas, surgió una incredulidad casi general, y aún hoy, una gran parte del público está convencido de que el asunto está suficientemente juzgado. Sin embargo, podemos afirmar que el público ha sido el mistificado por detractores ignorantes o por pseudo-testigos interesados que, como es natural, no asistían a las sesiones.

Durante varios años la médium Eva, sostenida por la señora Bisson, y sometida a condiciones especiales de comprobación, ha visto desfilar ante ella un gran número de sabios y de notables personajes; la señora Bisson ha evidenciado el fenómeno de tal forma, que ha arrastrado tras ella todas las convicciones. Hoy día el hecho no se discute; ha vencido a la incredulidad, por no decir a la mentira y a la calumnia.

No creo que ninguna persona inteligente pueda suponer que una superchería burda y descubierta anteriormente, pudiera resistir durante tantos años al examen de los investigadores más competentes. Un truco descubierto no puede repetirse con éxito. Sin embargo, no solo el fenómeno se repite, sino que ha hecho grandes progresos desde el punto de vista de la investigación experimental. Durante estos últimos años se ha triunfado sobre la oscuridad; hoy pueden celebrarse las sesiones a la luz del día. Ciertos espíritus que quisieran ver siempre formas angelicales como la del pintor Tissot, quizá lamenten el método empleado; pero era necesario, pues permite seguir el proceso fisiológico de la manifestación, desde el punto de vista científico. Esto es de un alcance incalculable.

7 Manifestaciones Espontáneas del Más Allá

Es indispensable hacer una distinción entre las facultades psíquicas, alrededor de las cuales se puede experimentar, y los fenómenos del Más Allá que nos está permitido observar, cuando se producen espontáneamente.

Sin embargo, suelen confundirse estas dos cosas. Tal sabio que ha visto a sujetos de hospitales trazar automáticamente letras y rasgos, se enorgullece de haber hallado la clave de la escritura automática; no obstante, si duerme al sujeto y le transmite la sugestión de escribir a su despertar, si da a esta sugestión la forma de una comunicación espiritista pretenderá ingenuamente haber demostrado el gran error de los espiritistas, sin pensar que por su mismo experimento, prueba que una persona puede escribir por la voluntad de otra, y que en esto precisamente consisten las transmisiones del Más Allá, en la forma de mensaje espiritista. Cierto es, que·ha obligado a hacer una comunicación falsa; pero hubiera podido, por el mismo procedimiento, enviar un mensaje verídico.

Por esta razón hemos hecho el historial de los fenómenos, no citando al principio más que la parte experimental y mostrando que todos los fenómenos calificados erróneamente de sobrenaturales, pueden producirse, no a voluntad, sino en condiciones tales, que podemos determinar el origen, pues se ha probado que todos pueden tener su origen en el pensamiento de una persona viva. Teóricamente, no podemos hacer ninguna diferencia entre la sugestión que puede ejercer un ser viviente y la que, por hipótesis, pudiera ejercer desencarnado.

De este modo, la manifestación más rudimentaria del Más Allá, se produce casi siempre, por medio de golpes dados. No se debe deducir que la presencia de un médium que produce un fenómeno notable nos envía un mensaje. Y, sin embargo, es la primera objeción que hacen los escépticos, diciendo:

«Yo he visto a Eusapia producir esos golpes. No hay espíritus en nada de esto».

En efecto, la experiencia tiende sencillamente a poner fuera de duda la realidad de un hecho, que se resistían a creer, un hecho que prueba la existencia de un mundo insospechado de la fisiología. Esos golpes, que parecen provenir de agentes materiales, que tienen todos los aspectos de la compacidad, y que, sin embargo, provienen de agentes invisibles, representan algo que está completamente fuera de la física natural y que es inexplicable para nosotros. Quizá no se le ha estudiado lo bastante, y el desprecio de que parecen alardear ciertos experimentadores sabios ante un hecho que no se sujeta a ningún experimento conocido, no siempre es muy sincero.

Los antiguos magnetizadores ya habían observado estos hechos. La vidente de Prévort, según refiere el barón Potet, iba sin moverse del sitio en que se encontraba, a llamar a la puerta de quien ella quería, y decía que no era con su alma, sino con su espíritu y por medio del aire, como conseguía llamar. La vidente decía:

«Que además del alma y de la inteligencia, existía un espíritu nérvico, y que éste espíritu sigue siendo la envoltura del alma cuando ésta deja el cuerpo».

Como se ve por esta cita, la vidente de Prévort, daba golpes a distancia sin que hubiera espíritu alguno en su caso; pero esto no impide que los espíritus hagan lo mismo, puesto que ese espíritu que está en nosotros conserva la envoltura del alma. El gran físico William Crookes, que ha sometido al más riguroso examen todas las manifestaciones de forma espiritista, habla en estos términos de los golpes dados:

«Tengo pleno conocimiento de las numerosas teorías que se han emitido para explicar estos ruidos, las he experimentado todas, de todas las maneras que he podido imaginar, hasta que no me ha sido posible escapar a la convicción de que eran efectivamente tales y que no se producían por engaño ni por medios mecánicos.

Una importante pregunta se impone a nuestra atención: ¿Estos movimientos o estos ruidos están gobernados por una inteligencia? Desde el principio de mis investigaciones he comprobado que el poder que producía estos fenómenos, no era simplemente una fuerza ciega, sino que una inteligencia la dirigía o, por lo menos, le estaba asociada. Así, por ejemplo, los ruidos de que hablo, han sido repetidos un número de veces determinado; han sido fuertes o débiles, y a petición mía han resonado en diferentes lugares. Por un vocabulario de señales convenido de antemano, han respondido a preguntas y han dado mensajes con una exactitud más o menos grande.

La inteligencia que gobierna estos fenómenos,

es, algunas veces, manifiestamente inferior a la del médium y con frecuencia se encuentra en oposición directa con sus deseos. Cuando se ha determinado hacer algo que no podía considerarse como muy razonable, he oído dar mensajes apremiantes para inducir a reflexionar de nuevo. Esta inteligencia es a veces de un carácter tal, que es forzoso creer que no emana de ninguno de los presentes».

Con verdaderos médiums que se prestan a comprobación ilimitada, como por ejemplo, D. D. Home, Kate Fox o Eusapia Paladina, los investigadores pueden, bien observando o bien comprobando, llegar a adquirir una certidumbre sobre el hecho que les parece inverosímil. Pero es preciso llevar la investigación mucho más lejos, para poder comprobar que si estos hechos se producen fuera de toda intervención del espíritu, o, como dice la vidente de Prévort, son producidos por el espíritu del médium, existen otros casos en que esta explicación es insuficiente, puesto que los mismos hechos se producen en ausencia de todo médium. Tales son los que se producen espontáneamente y que siempre coinciden con un fallecimiento.

La repetición de estos hechos, que tiene por objeto llamar la atención y que cesan en cuanto han conseguido este objeto, permite creer que entre la muerte y la manifestación ruidosa existe una relación de causa efecto, tanto más, cuanto que muchos de estos casos se han producido a consecuencia de pactos o promesas particulares, viniendo la manifestación a sorprender a los que habían sido testigos, antes de que pudieran conocer la muerte del manifestante.

He aquí un ejemplo de la manifestación más sencilla y más frecuente, que es la de los golpes. No multiplicaremos los ejemplos ni los testimonios, en los que abunda la literatura, sino que citaremos alguno como tipo, eligiendo con preferencia los que tienen la ventaja de estar relatados por personas conocidas.

«Querido maestro y amigo:

Estaba yo en esa edad en que se cogen flores en los campos, como usted coge estrellas en el infinito; pero en un momento en que me olvidé de hacer mi ordinaria recolección, había escrito un artículo que me valió algunos años de prisión. Todo llega a punto a quien no sabe esperar. Fuí recluído en la prisión de San Pedro, de Marsella. Allí estaba también Gastón Cremieux, condenado a muerte. Yo le quería mucho porque habíamos hecho los mismos sueños y ambos caímos en la misma realidad. En la prisión, a la hora de paseo, solíamos tratar, al azar de las conversaciones, la cuestión de Dios, y del alma inmortal.

Un día, unos cuantos compañeros se declararon ateos y materialistas con una vehemencia extraordinaria. Les hice observar, señalando a Cremieux, que era poco piadoso por nuestra parte proclamar aquellas negaciones ante un condenado a muerte que creía en Dios y en la inmortalidad del alma. El condenado me dijo sonriendo:

—Gracias, amigo mío; cuando me fusilen iré a dar a usted la prueba, produciendo una manifestación en su celda.

La mañana del 30 de Noviembre, al apuntar el día, fui súbitamente despertado por un ruido de pequeños golpes secos, dados sobre mi mesa. Me volví, el ruido cesó, y seguí durmiendo. Algunos instantes después comenzó el ruido de nuevo. Salté entonces de la cama, y ya bien despierto, me coloqué ante la mesa; el ruido continuó. Esto se repitió por dos o tres veces, siempre en las mismas condiciones.

Todas las mañanas al levantarme tenía la costumbre de dirigirme, con la complicidad de un carcelero, a la celda de Gastón Cremieux...; pero ¡ay! aquella mañana la puerta estaba sellada, y por la mirilla pude ver que el prisionero no estaba dentro... Apenas había hecho esa terrible comprobación, cuando el carcelero se echó en mis brazos llorando:

—Nos lo han fusilado esta mañana, al apuntar el día; pero ha muerto como un valiente.

...Tal es mi relato. Lo he escrito tal como ha brotado de mi pluma... Estaba en mi estado normal; no sospechaba la ejecución y oí perfectamente esta serie de advertencias. Esta es la verdad desnuda».

Sin duda algunos casos aislados de esta especie no presentarían un gran valor; pero una multitud de casos análogos y más complejos aún, coincidiendo siempre con un fallecimiento no permiten dudar que nos encontramos en presencia de alguno de los grandes misterios del Más Allá.

La vidente de Prévort decía que el espíritu nérvico podía producir también otros efectos.

«Las almas —decía— pueden no solamente hablar, sino producir ruidos, tales como suspiros, roces de seda o papeles, golpes en las paredes o en los muebles, ruido de arena, de piedras o de pies descalzos que se arrastran por el suelo..., que son capaces de mover objetos pesados, abrir y cerrar puertas. Cuanto más sufren, tanto mayores son los ruidos que producen por medio del aire o del espíritu nérvico».

Y de hecho encontramos todas estas formas de manifestaciones en los fenómenos espontáneos.

Si un espíritu desencarnado dispone de condiciones físicas que le permiten golpear la materia, un ser inteligente puede sacar mejor partido golpeando, por ejemplo, la tecla de un piano. Tenemos ejemplos de esta clase:

«Hace apróximadamente año y medio, mi padre, una prima y mi hermana hablaban en el comedor. Estas tres personas se encontraban solas en la casa, cuando de pronto oyeron tocar el piano en el salón. Muy intrigada mi hermana, tomo una lámpara y se dirigió al salón, viendo perfectamente que algunas teclas subían y bajaban formando acordes. Volvió comedor y refirió lo que había visto. Al principio se rieron de su historia creyendo que se trataba de un ratoncillo, pero como la persona que lo vió está dotada de una excelente vista y no es supersticiosa, acabaron por encontrar el hecho bastante extraño.

Ocho días después recibimos una carta de Nueva York anunciándonos la muerte de un anciano tio que vivía en aquella capital. Pero, cosa extraordinaria, tres días después de la llegada de la carta, el piano volvió a tocar solo. Como la primera vez, un anuncio de muerte nos llegó a los ocho días; el de mi tia.

Mis tíos formaban un matrimonio perfectamente unido, que habían conservado un gran cariño a sus parientes y a su país natal.

Jamás ha vuelto a dejarse oír el piano por sí solo. Los testigos de esta escena le certificarán su veracidad cuando usted lo crea conveniente. Vivimos en el campo, cerca de Neufchatel, y le aseguro que ninguno somos neuróticos».

EDUARDO PARIS
Artista pintor, Neufchatel (Suiza).

Hay que observar que todos estos hechos espontáneos que sorprenden a las familias a quienes se aparecen, no difieren de la serie de efectos producidos por los médiums.

Un sujeto, tal como Eusapia Paladino, puede obrar sobre una tecla de piano, pulsar las cuerdas de un instrumento, dar vueltas a una llave a distancia, abrir y cerrar las puertas de un armario, en las mejores condiciones de comprobación, pero estos hechos no se han obtenido más que a corta distancia, pues el poder dinámico del órgano invisible es solidario del cuerpo físico del cual se exterioriza, mientras que la exteriorización completa de un hombre fallecido no limita su campo de acción en el espacio; solamente parece limitada en el tiempo, a los pocos días que siguen al fallecimiento.

No concedemos ningún valor a la objeción de algunos sabios que habiendo examinado el caso de Eusapia, declaran que no existe intervención alguna de espíritus.

Desde el momento que un efecto físico se produce más allá del organismo físico, nos encontramos en presencia de una manifestación del Más Allá. Eusapia nos muestra una facultad normal del Más Allá, al obrar en condiciones mal conocidas aun; ella es, desde luego la que ejecuta, pero es un ser del Más Allá el que produce el fenómeno, cuando no hay médiums a quien poder atribuirlo. Es precisamente el caso de las manifestaciones después del fallecimiento.

Habrá quien diga que en estos casos especiales son los testigos de la manifestación los que sirven de médium... Quizá, hasta cierto punto, pero ello no explica por qué estos médiums ocasionales podrían obrar fuera de la zona donde operan los otros médiums; por que no están limitados al campo de fuerzas que rodea inmediatamente el organismo en el espacio, y por qué esta excepción no se presenta más que cuando no se espera el fenómeno y coincide con un fallecimiento.

La prueba de identidad se encuentra algunas veces reforzadas por el hecho de que los golpes suelen recordar alguna costumbre de la persona fallecida, por un ritmo, bien en un lugar que le fuera habitual en la vida, y mejor aún, sobre un objeto señalado de antemano.

En fin, los médiums tienen también la facultad de cambiar de sitio los objetos, abrir y cerrar las puertas y descorrer los cerrojos. Encontramos estas pruebas en las manifestaciones espontáneas, siempre coincidiendo con un fallecimiento, o más bien con una agonía, teniendo el enfermo conciencia de que obra allí donde se manifiesta.

Esta clarividencia de los moribundos es

instructiva, nos revela que son agentes ciertos del fenómeno, cuyo efecto sobrepasa con mucho a la acción que un médium.podría producir a corta distancia.

8 La Exteriorización Visible del Doble Corporal

Tenemos numerosos ejemplos para ampliar este estudio, pero debemos limitarnos. Retengamos solamente que, en un fenómeno producido por una entidad del Más Allá, debe hacerse una distinción, los golpes dados y los movimientos de objetos se presentan con un carácter distintivo según los casos, y esta distinción es la que hemos hecho a propósito de las transmisiones telepáticas. Una simple facultad anímica, procedente del médium, producirá fenómenos que se repetirán a voluntad, o poco menos. Una intervención extraña no puede producirse más que accidentalmente.

Generalmente no se comprende la función del doble en la manifestación, no se tiene en cuenta su existencia, como si su realidad no estuviera ya probada; pero no solamente el doble es una hipótesis necesaria para explicar la mayor parte de los hechos, sino que se manifiesta espontáneamente. El desdoblamiento espontáneo del cuerpo humano es un fenómeno que encierra una gran importancia, pues aporta una confirmación inesperada a la posibilidad de las apariciones materializadas.

Este fenómeno ha sido observado en numerosas circunstancias, y muy erróneamente ha sido clasificado entre las alucinaciones visuales en atención a que no tiene nada de telepático. Efectivamente, es objetivo, puesto que la fotografía ha conseguido registrarlo por sorpresa cuando su visibilidad no había llamado aún la atención. Otras veces se ha podido observar alrededor de ciertas personas el doble que estaba a su lado. Veamos el ejemplo de la señora Stone:

«He sido vista por tres veces, no estando realmente presente, y cada vez por personas distintas. La primera vez fué mi cuñada la que me vió. Me velaba cuando di a luz mi primer hijo. Miró hacia el lecho donde yo dormía y me vió claramente así como a mi doble. Vió a un lado mi cuerpo natural y al otro mi imagen espiritualizada y más tenue. Cerró varias veces los ojos, pero siempre que volvía a abrirlos veía la misma aparición. La visión se desvaneció al poco rato, y pensó que aquello sería anuncio de muerte para mí y no me lo refirió hasta pasados muchos meses».

La presencia del doble es de tal forma real que ha llegado a verse por varias personas a la vez, como en el caso siguiente:

«El conde D... y los centinelas creyeron ver una noche a la Emperatriz Isabel de Rusia, sentada en el trono con traje de ceremonia, mientras que se hallaba acostada y dormida. La dama de servicio, que también la vió, fue a despertarla. La Emperatriz se dirigió al salón del trono y vió su imagen. Ordenó al centinela que hiciera fuego y la imagen desapareció. La Emperatriz murió tres meses después».

Pero el caso más caracterizado es el de Emilia Saget, que ha tenido numerosos testigos y que se ha hecho clásico. Se trata de una institutriz cuyo doble fue vista repetidas veces por todas las alumnas del pensionado de Neuwelcke, en Rusia. Veamos algunos pasajes según Aksakof:

«Entre el número de profesoras había una francesa, la señorita Saget, nacida en Dijon. Pocas semanas después de su entrada en el colegio, comenzaron a circular entre las alumnas singulares rumores acerca de ella. Cuando una decía haberla visto en tal sitio del establecimiento, otra aseguraba haberla encontrado en otro lugar distinto y en el mismo momento. Pero las cosas no tardaron en complicarse y tomar un carácter que excluía toda posibilidad de fantasía o error. Un día que Emilia Saget daba lección a 13 jóvenes alumnas, entre las cuales se encontraba la señorita de Guldenstubbe, y que para mejor comprensión escribía el tema en la pizarra, las alumnas vieron, con el susto natural, dos señoritas Saget, una al lado de la otra. Se parecían exactamente, y hacían los mismos movimientos, solo que la persona verdadera tenía un trozo de tiza en la mano y escribía efectivamente, mientras que su doble no tenía nada en la mano y solo hacía el movimiento de escribir.

La sensación que esto causó en el establecimiento fue grande, todas las alumnas, sin excepción, habían visto la segunda forma y coincidían en su relato.

Poco tiempo después, una de las alumnas, la señorita Antonia de Wrangel, obtuvo permiso para asistir con algunas compañeras a una fiesta de la localidad. Se hallaba ocupada en terminar su tocado y señorita Saget, con su bondad y amabilidad habituales, la ayudaba abrochándola el vestido por detrás. La joven, al volverse, vió por el espejo dos señoritas Saget que la ayudaban a vestirse. Se asustó de tal modo de esta brusca aparición, que cayó desvanecida.

Transcurrieron los meses y los fenómenos seguían produciéndose. Se veía de tiempo en tiempo, a la hora de la comida, el doble de la institutriz detrás de su silla, en pie, imitando sus movimientos mientras comía, pero sin cubierto ni viandas. Alumnas y criadas que servían la mesa, han testimoniado la verdad del caso.

Sin embargo, no siempre ocurría que el doble

imitara los movimientos de la persona verdadera. Muchas veces, cuando ésta se levantaba de la silla, se veía su doble permanecer sentado.

... Un día, todas las alumnas, en número de 42, se hallaban reunidas en una misma habitación ocupadas en las labores. Era una gran sala en la planta baja del edificio principal, con cuatro grandes ventanas o más bien puertas de cristal que se abrían sobre la terraza y que conducían a un gran jardín contiguo al establecimiento.

En medio de la sala había una gran mesa alrededor de la cual se colocaban habitualmente las alumnas para dedicarse a los trabajos de aguja. Aquel día las jóvenes se hallaban todas sentadas ante la mesa y podían divisar lo que ocurriera en el jardín. Mientras trabajaban veían a la señorita Saget ocupada en coger flores, cerca de la casa, era una de sus distracciones predilectas. En uno de los extremos de la mesa se hallaba una profesora encargada de vigilar los trabajos y sentada en un sillón de cuero verde. En un momento dado, la señora se ausentó y el sillón quedó vacío. Pero no fue por mucho tiempo, pues las jóvenes vieron que lo ocupaba la forma de la señorita Saget. Todas dirigieron sus miradas hacia el jardín y la vieron ocupada en coger flores, solo que sus movimientos eran más lentos y pesados, como los de una persona rendida de sueño o de fatiga. Miraron nuevamente hacia el sillón, donde el doble continuaba sentado inmóvil y silencioso, pero con tal apariencia de realidad, que si no hubieran estado seguras de que había aparecido en el sillón sin entrar por la puerta, hubieran creído que era ella. Seguras de que no se trataba de una persona verdadera, y aunque poco habituadas a estas extrañas manifestaciones, dos de las más atrevidas alumnas se aproximaron a la imagen, y tocándola, creyeron encontrar una resistencia comparable a la que ofrece un tejido ligero de muselina o de crespón. Una se atrevió a pasar delante de sillón y a atravesar una parte de la forma. A pesar de esto, la imagen duró algún tiempo y luego se desvaneció gradualmente. Observaron en seguida que la señorita Saget había recobrado su vivacidad habitual. Las 42 jóvenes observaron el fenómeno de la misma manera».

Esto prueba que el estado de exteriorización visible del doble tiene algo de corporal, es un principio de materialización.

Si esta señorita Saget hubiera sido dada a los experimentos, se hubiera podido manifestar alguna entidad oculta tomando posesión de su doble, para producir ciertos fenómenos a distancia y aun a modelarlo a su propia imagen y semejanza.

9 Comunicaciones Recibidas por Medio de Mesas

Los mejores médiums son los que no buscan la manifestación, se revelan espontáneamente y son sorprendidos por operaciones inteligentes que es imposible atribuir a ellos mismos. El siguiente relato de Victorino Joncières está tomado de un libro de Camilo Flammarion.

«Salía de la Sucursal del Conservatorio, después de haber terminado los exámenes de piano, cuando fuí abordado por una dama que me preguntó que pensaba de su hija, y si juzgaba que debía seguir la carrera artística.

Tras una larga conversación, en la cual prometí oir a la joven artista, le dí palabra de ir aquella misma noche a casa de uno de sus amigos, alto funcionario del Estado, para asistir a una sesión de espiritismo. El dueño de la casa me recibió con extrema cordialidad, me condujo a una gran sala de paredes desnudas, donde se hallaban reunidas varias personas, entre las cuales se encontraba su esposa y un profesor de física del Liceo. Entre todos seríamos unas doce personas. En medio de la habitación se hallaba una mesa de encina, donde había colocado papel, lápiz, una pequeña armónica, una campanilla y una lámpara encendida.

El espíritu me ha anunciado que vendrá a las diez —me dijo— tenemos una hora por delante. Voy a emplearla en leerle a usted las actas de nuestras sesiones desde hace un año.

Colocó encima de la mesa su reloj, que marcaba las nueve menos cinco, y lo cubrió con un pañuelo.

Durante una hora estuvo leyendo las historias más inverosímiles; yo tenía prisa de ver lo que iba a ocurrir. De pronto se oyó un agudo chasquido en la mesa; el señor X... descubrió el reloj; indicaba exactamente las diez.

Espíritu, ¿estas ahí? —preguntó—.

Nadie tocaba la mesa, alrededor de la cual formábamos la cadena cogidos por las manos.

Se oyó un violento golpe. Una joven, sobrina suya, apoyó sus dos dedos meñiques en el borde de la mesa y nos rogó que hiciéramos lo mismo. Y aquella mesa, de un peso enorme, se levantó muy por encima de nuestras cabezas, de tal forma, que nos vimos obligados a levantarnos para seguirla en su ascensión. Se balanceó unos instantes en el espacio y descendió lentamente hasta posarse en el suelo sin ruido. Entonces el señor X... fué a buscar un gran dibujo de vidriera; lo colocó sobre la mesa y puso a su lado un vaso de agua, una caja de colores y un pincel. Luego apagó la luz. Al cabo de tres minutos la encendió: el dibujo estaba coloreado en dos tonos: amarillo y azul, sin que ninguna pincelada sobresaliera del dibujo trazado».

Es ciertamente una desgracia que médiums como éste que se revelan con frecuencia en familias honorables, queden perdidos para el estudio y la observación. Una señora de la buena sociedad no se presta a los ataques de los denigradores de oficio, que no tienen más argumento que la injuria; pero también es muy triste que ciertas personas de escasa mediumnidad y de poca instrucción se atrevan a exhibir sus escasas facultades.

En la práctica de la escritura automática es donde más abunda esta plaga, pero es también de lamentar el abuso que se hace de las sesiones de mesa a causa de su facilidad y de que todo el mundo puede ensayarlas. Precisamente porque se apresuran a entrar en conversación con escasas fuerzas anímicas, es por lo que tantas sesiones mal dirigidas solo producen confusión.

En estas sesiones hay que distinguir entre lo que viene de dentro y lo que llega de fuera, es decir, entre el mensaje verídico y el engañoso.

Es absolutamente imposible confundir ciertos mensajes que viene de un origen conocido, con la escritura automática de un médium que se engaña a sí mismo.

Bien se trate de golpes o de automatismos de los centros motores de la escritura y de la palabra, hay siempre tres explicaciones de estos fenómenos: primera, el automatismo debido a las perturbaciones orgánicas de un médium cuyos órganos se mueven mecánicamente; segunda, el automatismo provocado por el pensamiento de un agente alejado; tercera, el automatismo tras el cual se revela una inteligencia que no puede ser ni la del médium ni la de ninguna otra persona viviente.

Este tercer caso es el que constituye la prueba decisiva del Más Allá. Pero el segundo tiene un valor experimental decisivo, puesto que expulsa ya de su posición a los escépticos que quisieran sostener, contra la evidencia, que todas las manifestaciones vienen del médium. Conocemos el caso de la señora Kirby, por la mesa; el de Sofía Swobosa, por la escritura, y la contraprueba experimental que se ha podido hacer con los señores Newham.

Resulta de esto que la actividad celular de los órganos motores puede ser movida por el pensamiento de una persona extraña; es decir, que el agente muscular es sensible a la acción telepática, y por este lado es por donde el fenómeno de mesa, de escritura y todas las manifestaciones automáticas, se unen al fenómeno general que producen todas las otras manifestaciones.

El hecho de la levitación de una mesa, su desprendimiento completo del suelo bajo la acción de una fuerza desconocida contraria a la gravedad, es un hecho que, razonablemente, no admite discusión. Las levitaciones de la mesa sin contacto, se hallan fuera de toda duda y pueden ser afirmadas sin reservas. Esto ha sido comprobado no una, sino cientos de veces, y no por algunas, sino por miles de personas.

Vamos a recordar algunos testigos, reproduciendo textualmente algunos extractos de sus afirmaciones.

WILLIAM CROOKES.— «Los ejemplos en que cuerpos pesados, como mesas, sillas, divanes, etc., han sido puestos en movimiento sin contacto del médium, son muy numerosos. Indicaré brevemente algunos de los más sorprendentes: Mi propia silla ha descrito, en parte, un círculo, sin que mis pies tocaran en el suelo. A los ojos de todos los asistentes ha venido una silla lentamente desde un rincón alejado de la habitación y todas las personas lo han comprobado; en otra ocasión, un sillón vino hasta el lugar en que nos encontrábamos sentados, y, a petición mía, se volvió lentamente recorriendo una distancia apróximadamente de medio metro. Durante tres noches consecutivas, una mesita atravesó lentamente la habitación, en condiciones que yo había expresamente dispuesto a fin de poder responder a toda objeción que hubieran podido haber en contra de este hecho.

En cinco ocasiones diferentes, una pesada mesa de comedor se levantó de unos milímetros del suelo, en condiciones que hacían imposible todo fraude. En otra ocasión, otra pesada mesa se levantó por encima del pavimento, en plena luz, mientras que yo sujetaba los pies y las manos del médium».

SIR ALFRED RUSELL WALLACE.— «No podía en aquel tiempo dar cabida en mi pensamiento a la concepción de una existencia espiritual, ni a ninguna otra función en el Universo que no fuera la materia y la fuerza. Los hechos, sin embargo, son obstinados. Mi curiosidad fue despertada al principio por fenómenos pequeños, pero inexplicable, comprobados en la familia de un amigo, pero mi deseo de saber y mi amor a la verdad me indujeron a proseguir la investigación. Los hechos se manifestaron con más frecuencia, cada vez más variados, cada vez más alejados de todo lo que enseña la ciencia moderna o de todo lo que ha discutido la Filosofía contemporánea. Me vencieron y me obligaron a aceptarlos como hechos, mucho antes de que pudiera admitir la explicación espiritista; no había entonces, en mi manera de pensar, lugar en donde esto pudiera tener cabida. Al fin, y gradualmente, se hizo sitio».

El mismo testigo ha escrito en sus notas:

«Estos experimentos me han persuadido de que existe un poder desconocido, que emana del cuerpo de un cierto número de personas, puestas en conexión sentadas alrededor de una mesa redonda y con las manos sobre ésta».

A. DE ROCHAS.— «Negarse a creer afirmaciones tan numerosas, tan terminantes, tan precisas, es hacer imposible el establecimiento de una ciencia física cualquiera, pues el que la estudia no puede pretender ser testigo de todos los hechos que se le mencionen y cuya observación es muchas veces difícil.

10 Métodos de Comunicación con Entidades Extrañas

Una observación que sorprenderá quizá a las personas que jamás han reflexionado sobre el tema, es que los mensajes de orden elevado, los que se presentan bajo la forma telepática, tales como la inspiración, presentimientos, visión profética, son necesariamente muy vagos e inciertos para constituir una prueba, mientras que los fenómenos vulgares que toman el camino desviado de las actividades inferiores, los que se manifiestan bajo una forma material exterior, tales como golpes, automatismos, etc., son los únicos que pueden manifestarse en el plano físico con una forma definida y un cierto grado de evidencia.

Por esta causa, la prueba de la supervivencia, o simplemente la prueba de la existencia de inteligencias paranormales, no podrá ser obtenida sino por esta vía tan frecuentemente despreciada, y esto explica lo bastante todas las dificultades y oscuridades que se encuentran en la práctica de los estudios psíquicos.

Un gran número de manifestaciones revelan cosas que no pueden estar ni en la conciencia del médium, ni en el conocimiento de ninguna persona próxima. Es necesario, Por lo tanto, suponer que una inteligencia supranormal, una entidad del Más Allá, testigo del hecho revelado, ha puesto en movimiento, según el proceso ordinario, el automatismo que opera la transmisión del mensaje. Este agente supuesto, puede obrar a la manera de un espejo inconsciente.

Ejemplo de lo anteriormente referido:

«Lady Mabel Howard estaba particularmente dotada para la escritura automática. Un día, con ocasión de un robo, sus amigas tuvieron la idea de preguntarle si podría designar, con ayuda de su mediumnidad, donde se encontraban las alhajas robadas. Lady Mabel, cogiendo la pluma, escribió automáticamente: "En el río, debajo del puente de Tebay". No se tenía de esto ninguna sospecha; se trataba de un hecho relatado en los periódicos, y que no interesaba a ninguno de los experimentadores. Sin embargo, los malhechores acababan de ser detenidos en la estación de Tebay, hecho que se ignoraba en el momento de obtener la comunicación. Las alhajas fueron encontradas un mes más tarde debajo del puente».

116

A las comunicaciones mencionadas, que revelan las cosas que están fuera del conocimiento de los que asisten a las sesiones, conviene añadir las que implican conocimientos especiales, que el médium, por sí mismo, es incapaz de poderlas transmitir. Así, una serie de experimentos, dirigidos por el señor J. P. Barkas, con la señora de Esperance como médium, nos presenta el agente motor, trazando automáticamente las respuestas a preguntas científicas muy arduas, referentes a temas como el calor, la luz, la electricidad, el magnetismo, etc.

Aun cuando las contestaciones a problemas difíciles parecen completamente satisfactorias, importa hacer observar que la crítica perdería el tiempo si se detuviera a discutir el valor intrínseco de las soluciones propuestas. Los habitantes del Más Allá son, como nosotros, seres en camino de evolución, y no tienen nada de la infalibidad que por hipótesis les atribuyen los incrédulos. El interés del problema está en que un hombre instruído pueda discutir con la entidad que comunica, sobre asuntos de los que el médium no tiene noción alguna.

Una prueba más de que se comunica con una entidad extraña, es que el médium se muestra capaz de sostener una conversación en un idioma que no conoce, pues no existe ningún modo razonable para considerar este hecho como un caso patológico. Son numerosos los casos en que se ha comprobado que un médium ha escrito y hablado en lengua extranjera.

El caso más conocido, y cuya autenticidad es irrecusable, apareció en Nueva York: El juez Edmons —dice Aksakir— gozaba por aquel tiempo de un renombre considerable en los Estados unidos por los altos cargos que ocupó, primero como Presidente del Senado, y después como miembro del tribunal Supremo.

El juez Edmonds, que había pasado dos años entre los indios, pudo hablar con su hija en dialectos desconocidos. Pero otras muchas personas testimoniaron que su hija dió comunicaciones en idioma indio, español, francés, polaco, y griego; habló también en italiano, portugués, húngaro, latín y otros idiomas; citaremos aquí el episodio más conocido, según Aksakof.

«Una noche en que unas cuantas personas estaban reunidas en mi casa, el señor Green, artista de esta población, vino acompañado de un hombre que nos presentó como el señor Evangelides, de Grecia.

Este último hablaba bastante mal el inglés, pero se expresaba correctamente en su lengua natal. Pronto se manifestó un personaje que le dirigió la palabra en inglés y le comunicó gran número de hechos que demostraban que era un amigo fallecido en su casa hacia muchos años, pero que ninguno de nosotros habíamos conocido en vida.

De vez en cuando, mi hija hablaba palabras y frases enteras en griego, lo que permitió al señor Evangelides preguntar si podía hablar él su idioma.

La conversación continuó en griego por parte de Evangelides, y alternativamente en griego e inglés por parte de mi hija. Esta no siempre comprendía lo que él o ella hablaban en griego. Por momentos la emoción del señor Evangelides era tan viva que llamó la atención de los concurrentes; le preguntamos la razón y esquivó la respuesta. Sólo al terminar la sesión nos dijo que hasta entonces nunca había sido testigo de manifestaciones espiritistas, y que en el curso de la conversación había hecho diversos experimentos para apreciar la naturaleza de estos fenómenos. Estas experiencias consistieron en abordar diferentes asuntos que mi hija no podía conocer, y cambiando bruscamente de tema, pasaban de cuestiones de orden privado a otras políticas y filosóficas.

En respuesta a nuestras interrogaciones nos afirmó que la médium comprendía la lengua griega y la hablaba correctamente».

Es posible que el sentido telepático dé al médium la intuición de la idea que pasa por el cerebro de su interlocutor cuando le habla en lengua extranjera, pero esto no explicará jamás la respuesta ni la acción automática considerada

119

en la forma activa inconsciente, la cual en este caso sería una sugestión motriz, ejercida sobre los órganos vocales.

La escritura en un idioma desconocido del médium es también una acción motriz, que prueba, de una manera absoluta, la intervención de una influencia extraña. La explicación natural es que el que habla un idioma, es que lo ha aprendido, y los que rechazan esta evidencia invocan la exaltación de las facultades intelectuales, o bien las facultades hipotéticas de la conciencia sonambúlica, no se dan cuenta de que recurren así a lo maravilloso, y todo lo explican por el milagro.

Podríamos citar numerosos ejemplos, pero nos basta con saber que estas pruebas existen, y que la acción motriz proveniente de un origen exterior es susceptible de afectar todos los órganos.

Existen, además, casos de escritura visual que deben clasificarse entre las alucinaciones sensoriales (imágenes vistas). Los médiums ven los signos gráficos que copian servilmente. Esto recuerda los primeros experimentos sobre la transmisión del pensamiento. Este proceso es lento y penoso.

Nos parece racional aproximar estos hechos a los ejemplos que conocemos de transmisión entre vivos, y cuya posibilidad ha sido experimentalmente explicada por Guthrie, Rawson, Schmoll, Lombroso, etc., y atribuirlos a las mismas causas.

«Una señora de treinta y cinco años, presentada a M. Richet por F. Miers, señora que no sabía griego, y que ignoraba hasta el alfabeto, produjo algunas páginas, penosamente descifradas, de diferentes obras impresas, pero de las cuales esta señora solo parecía tener una visión mental».

M. Richet declara este hecho inexplicable; según él, toda explicación es absurda, pero dice:

«¿Porque las explicaciones sean absurdas hay razón para rechazar los hechos?. Sería un grave error querer, a la fuerza, dar una explicación racional a los hechos que no se comprenden».

Pero, no obstante, la aproximación que hacemos de este caso con los experimentos ya conocidos, es una tentativa razonable. ¿Que absurdo pudiera haber en llamar gato a un gato, y espíritu humano a un espíritu?. Atribuyendo efectos iguales a iguales causas, no hacemos distinción entre el espíritu humano encarnado o desencarnado.

Para el señor Richet el espíritu es una invención muy cómoda. Dice que al igual que los salvajes explican el granizo, la lluvia y los relámpagos por la acción de los genios y los diablos, nosotros explicamos por los espíritus los fenómenos incomprendidos.

Pero en esta explicación existe una pequeña laguna porque si el granizo, la lluvia y los relámpagos se presentaran bajo una apariencia espiritoide, si por ejemplo, se obtuviera un resultado evidente rogando al granizo y a la lluvia que cayeran, entonces sí que se atribuiría este efecto notable a una causa inteligente.

El agente que da comunicaciones, responde, hasta cierto punto, a lo que se le pregunta, casi siempre dicta él, por sí mismo, las condiciones del experimento, nos indica si debemos coger la pluma, ponernos a la mesa o por el contrario permanecer pasivos en espera de una imagen visual, auditiva, o de una sugestión motriz. Y se nos dice:

«No hay espíritu en todo eso, no hay más que una fuerza desconocida».

Muy bien, pero esta fuerza posee todos los atributos de la personalidad. Además, cuando el agente que es la causa primera de estos fenómenos, ha podido ser sorprendido en el momento del hecho, se ha comprobado que era el espíritu de una persona viva quien transmitía la imagen o el movimiento. Produciéndose ésto sin participación aparente del cuerpo humano. No es un absurdo decir que éste no interviene para nada en la transmisión del pensamiento, que todo es debido al cuerpo anímico, substancial y exteriorizable, del que los fallecidos pueden estar tan provistos como nosotros, lo que además manifiestan por el número de fenómenos que hemos expuesto.

Tenemos, desde luego, la prueba de una intervención del Más Allá, toda vez que es imposible atribuir a un ser viviente un acto que sobrepase los conocimientos del médium o sus posibilidades orgánicas.

Además, el agente inteligente varía sus métodos. El movimiento automático de los centros motores de un médium, que pudiera explicarse por entrenamiento, no puede explicarse de la misma manera si el agente produce la escritura por movimientos que jamás haya practicado anteriormente, como en el caso de la ouija.

Se sabe que existe una manera de deletrear los mensajes por medio de una plancheta móvil (ouija), provista de una flecha que una influencia desconocida hace mover sobre un alfabeto. Los brazos ejecutan entonces una especie de gimnasia nueva, sin que hayan sido preparados para este ejercicio. Además ocurre, a veces, que dos personas provocan el fenómeno y que ninguna de ellas, separadamente, puede obtener. Es evidente que si el movimiento fuera debido al despertar de actividades inconscientes, la unión de las dos manos no haría sino contrariar la acción. Sucede todo lo contrario cuando esta asociación es posible; la armonía se hace espontáneamente y el fenómeno se afirma con una nitidez que sorprende a todos los concurrentes. Sucede también que la plancheta, provista de un lápiz, escribe directamente sobre el papel.

Veamos un ejemplo que se encuentra en la obra de Oliver Lodge.

«Se trata de dos jóvenes que obtenían la escritura por la ouija, en presencia de diez personas. Esta ouija no funcionaba sino por la asociación de las dos jóvenes. Estas señoritas, de una gran cultura, tuvieron la idea de preguntar a un espíritu, que pretendía haber sido el primero de la clase en el curso de la Universidad, que diera la fórmula de una ecuación que representara la curva del contorno en forma de corazón de la plancheta de que se servían».

La respuesta fue:

$$R = \frac{\alpha \, sen \theta}{\theta}$$

Oliver Lodge dice que M. Sharpe, de Bournemouth, ha sido tan amable que les ha trazado un gráfico exacto de esta curva, y esta operación representa exactamente la forma ordinaria de una plancheta, y añade: —Es, naturalmente, mas difícil inventar una ecuación que convenga a una curva dada (lo que la escritura ha hecho en el caso presente), que trazar la curva cuando se tiene la ecuación—.

En fin, una complicación, que aun con entrenamiento, sobrepasaría las facultades del hombre, tanto orgánicas como intelectuales, es la que se presenta algunas veces con muchos mensajes obtenidos simultáneamente.

Véanse, por ejemplo en Aksakof, lo que dice el Dr. Wolfe, del célebre médium Masnfield, quien escribía con las dos manos a la vez y hablaba al mismo tiempo.

W. Crookes en sus Investigaciones sobre los fenómenos del Espiritismo testimonia también un hecho parecido:

«En mi presencia se han producido muchos fenómenos al mismo tiempo, sin que el médium los conociera todos. Me ha ocurrido ver a la señorita Fox escribir automáticamente una comunicación para uno de los concurrentes, mientras que se le daba otra comunicación sobre otro asunto para otra persona, por medio del alfabeto y por golpes dados. Y entretanto el médium hablaba con una tercera persona sin la menor dificultad, sobre un asunto completamente distinto de los otros dos».

11 Acciones Curativas Dirigidas por Entidades Extrañas

Finalmente, para comprender mejor hasta que punto ciertas influencias ocultas e inteligentes pueden apoderarse de los órganos físicos y variar su acción, y aun pasar de una persona a otra, deben conocerse las acciones curativas que se han producido algunas veces, con toda la apariencia de ser dirigidas por entidades espiritistas.

El siguiente relato está tomado de la obra de F. Myers:

ACCIÓN CURATIVA EJERCIDA SOBRE LA SEÑORA X...

«El autor del relato, dice Myers, es un médico que ocupa en Europa continental un importante cargo científico; le conozco por haberle tratado por mediación de un amigo común, que también es un sabio de reputación europea.

Ha discutido el caso con el doctor X... y con su

esposa y ha visto el informe que publicamos en abreviación.

Nos vemos obligados a ocultar la identidad del doctor X... y asímismo su país; nada tiene esto de particular, pues la rareza de los hechos que vamos a relatar, sería considerada como fuera de lugar por el ambiente científico actual.

El doctor Z... que se manifiesta bajo el aspecto incierto de un espíritu magnetizador, resulta haber sido igualmente un sabio de reputación europea y amigo personal del doctor X...

Una noche de gran oscuridad la señora X... se dislocó un pie. Quince días después de nuestro regreso a M... el pie estaba casi curado. Poco después caí enfermo, y la señora X..., como consecuencia de los cuidados que me prodigó , tuvo que soportar una extrema fatiga.

Durante todo el invierno la señora X... se vió obligada a permanecer en su habitaciones, con el pie inmóvil, curándose con emplastos o con salicilatos. Finalmente, este tratamiento fue abandonado para emplear un vendaje sencillo y uso de muletas. Las articulaciones del pie derecho presentaban una inflamación de los tejidos que nos inquietaba seriamente.

Entonces fué cuando algunos amigos hablaron a la señora X... de ciertos hechos bien comprobados de espiritismo, del que hasta entonces no había tenido mas que una ligera noción.

El espíritu guía de un grupo de espiritistas, del

que uno de mis amigos era miembro, anunció la intervención, en espíritu, del doctor Z... Se convino un día para la visita del doctor a la señorita X... a quien se anunció la fecha. Absorbidos por otras preocupaciones, habíamos olvidado por completo esta visita. Pero el día convenido, el doctor Z... se anunció por sí mismo por medio de repiqueteos en la mesa. Entonces recordamos la entrevista convenida. Pregunté la opinión del doctor Z... sobre la enfermedad del pie de la señora X... y los golpes de la mesa dictaron, por medio de la señora L... la palabra: tuberculosis, significando que existían tubérculos en las articulaciones, de lo que, en efecto, había algunos síntomas. Pocos días después, el doctor Z... volvió a petición nuestra, y prometió encargarse de la curación de la señora X..., pero advirtiéndonos que de todos modos no podría curarse completamente, sino que la enferma quedaría inútil para andar grandes distancias, y que poco o mucho se resentiría el pie en los cambios de temperatura, todo lo cual se confirmó.

Meses después, la enferma sintió, por primera vez, una sensación insólita, acompañada de hormigueos y de gran pesadez en los miembros inferiores, sobre todo en los pies. Esta sensación ganó rápidamente el resto del cuerpo, y cuando llegó a los brazos comenzó a producirse un movimiento de rotación en las manos y antebrazos. Este fenómeno reaparecía todas las noches después de cenar, cuando la enferma reposaba en su sillón. Así estaban las cosas, cuando la familia se trasladó al campo en R... Entonces la manifestación sobrevenía dos veces al día y duraba de quince a veinte minutos. Ordinariamente la enferma colocaba las dos manos sobre la mesa. La sensación de ser magnetizada la sentía primeramente en los pies, que comenzaban su movimiento de rotación, del que participaba gradualmente la parte superior del cuerpo.

La enferma empezó a poder andar con más facilidad. Aunque todo movimiento acentuado y voluntario del pié le era muy doloroso, cuando el movimiento era provocado por la influencia oculta, no sentía ningún dolor.

Al poco tiempo sobrevino un nuevo fenómeno. Un día la señora X... se sintió arrancada de su sillón y obligada a ponerse en pie. Los pies y el cuerpo entero obedecieron a una gimnasia forzada, cuyos movimientos erán adecuados y rítmicos, y de un arte perfecto. Esto se repitió los días siguientes y al terminar cada acceso, cuya duración era de una o dos horas, los movimientos iban haciéndose más violentos. La señora X... jamás había recibido la menor noción de gimnasia, y estos movimientos hubieran sido sumamente dolorosos, si los hubiera ejecutado por su propia voluntad. Sin embargo, al final de aquel ejercicio, no sentía la menor fatiga. Todo iba mejor, y el doctor Z... anunció que sus cuidados no eran en adelante indispensables, cuando al día siguiente un accidente singular vino a empeorarlo todo. La señora X..., con objeto de alcanzar un vestido de su guardarropa, se había subido con gran precaución sobre una silla baja, cuyo asiento ofrecía una gran base de sustentación, a punto de descender, la silla fué violentamente arrancada de debajo de ella y lanzada a distancia. La señora X... cayó apoyándose en el pie enfermo, y hubo que empezar de nuevo su curación. En una carta posterior, el doctor Z... explica que, según el relato de la señora X..., el accidente se debió a una fuerza invisible, y no a una caída natural de la silla.

La señora X... estaba acostumbrada a curarse el pie por sí misma. Un día quedó estupefacta al sentir sus manos asidas y dirigidas por una fuerza oculta. A partir de aquel día, los vendajes se adjuntaron siguiendo todas las reglas del arte y con una perfección que hubiera hecho honor al más hábil cirujano. Aunque muy hábil, la señora X... no había tenido ocasión de adquirir el menor conocimiento quirúrgico, y, no obstante, los vendajes aplicados a su pie eran irreprochables y todos los admiraban. Cuando la señora X... tenía necesidad de renovar el vendaje, colocaba las vendas arrolladas sobre la mesa, al alcance de su mano, y mecánicamente cogía el vendaje más conveniente el operador oculto.

La señora X... tenía la costumbre de peinarse ella misma. Una mañana dijo en tono de broma: "Debía peinarme un peluquero de la corte, porque tengo los brazos muy fatigados" Inmediatamente sus manos empezaron a moverse automáticamente y sin fatiga para los brazos, que parecían sostenidos por invisibles manos. Y el resultado fue un suntuoso peinado que en nada se parecía al que se hacía habitualmente».

Los fenómenos citados hasta aquí han sido puramente subjetivos; pero en los que siguen hay también algo de objetivo.

«Cuando se tiene el honor de ser tratado por un médico tan célebre como el doctor Z... un sentimiento natural hace que algunas veces pensemos en beneficiar a nuestros semejantes. Un funcionario de mi departamento sufría desde hacía muchos años una pleuresía que le forzaba a permanecer en casa y le causaba frecuentes dolores de cabeza. Consultado el doctor Z... prescribió un tratamiento interno que, con gran sorpresa mía, consistía solamente en gránulos dosimétricos (que el gran cirujano jamás había recetado en vida). Hizo también ejecutar por la señora X... pases de desprendimiento de diez a quince minutos de duración. Es notable que los pases se hacían sin gran violencia, la mano de la señora X... se detenía a un milímetro, a lo más, de la cara del enfermo, sin llegar jamás a tocarle. Por sí misma nunca hubiera podido dar a sus movimientos tal grado de precisión.

Otra vez, nuestra sirviente A..., cuyo marido se hallaba enfermo en el hospital, vino a buscar a la señora X..., llorando y diciendo que había perdido toda esperanza de verle mejorar. La señora X... pidió al doctor Z... que se encargara de él y así prometió hacerlo, añadiendo que le haría sentir su presencia. Al día siguiente, en el hospital, A... encontró a su marido desesperado. Mira —decía—, además de mi enfermedad habitual tengo ahora una enfermedad nerviosa;

he estado toda la noche excitado, moviendo brazos y piernas, sin poder contenerme.

A... se echó a reír y advirtió a su marido que el doctor Z... se había encargado de su curación y que pronto estaría reestablecido. El enfermo volvió a su estado normal, tan bien como lo permite la afección pulmonar incurable de que estaba atacado».

En cuanto al pie de la señora X... seguramente fue curado por los movimientos rítmicos que le fueron impuestos y por el magnetismo del agente oculto.

Nos podemos preguntar si estos agentes pertenecen a la raza humana, pues sí... provisionalmente. A menos que admitamos que por encima de nuestro mundo exista otro que difería de la Humanidad, pero que la conoce y la estudia, como nosotros estudiamos los reinos de la Naturaleza, y que por distracción, o por cualquier otra causa, se presentan como amigos nuestros desaparecidos.

12 Consideraciones Finales

Está lejos de agotarse la serie de hechos espontáneos que puedan atribuirse a causas ocultas. No hablamos de las casas de duendes, en donde la serie de hechos observados con los médiums se producen espontáneamente, porque nos hemos limitiado únicamente a los hechos que tiendan a probar la supervivencia. Si hemos hecho una división arbitraria, tratando como un grupo aparte una serie de manifestaciones de diferentes naturalezas, es porque nos ha parecido que los hechos espontáneos observados en todos los lugares y en todos los tiempos y afirmados por ilustres testigos, no podían por menos que confirmar aquellos de los que es difícil hacer la prueba en sesión experimental, el sólo hecho de que se produzcan espontáneamente, como sin médium, es de una naturaleza que se presta a desvanecer muchas objeciones.

Estimamos que estos hechos establecen,

sin que sea posible conservar sombra de duda, que existe en nosotros un segundo cuerpo que no es el alma, pero que sirve de substrato a la fuerza misteriosa que W. Crookes llama fuerza psíquica; que este segundo cuerpo y el elemento de que está compuesto no depende de la física actualmente conocida, pero que es susceptible de experimento. En fin, hemos comprobado empíricamente que este cuerpo obedece al pensamiento, que es susceptible de movimiento, que es maleable y, finalmente, que es capaz de exteriorizarse y aun de materializarse.

En su estado normal, este cuerpo explica todas las manifestaciones de la vida orgánica y no produce otras manifestaciones exteriores; pero en condiciones todavía mal observadas, es fácil comprobar que se exterioriza y también que influencias de cualquier naturaleza pueden obrar sobre él y substituirse momentáneamente a esa influencia normal que llamamos ordinariamente la acción del yo.